프랑스 아이들은
왜 말대꾸를 하지 않을까

프랑스 아이들은
왜 말대꾸를 하지 않을까

초판 1쇄 인쇄 2013년 6월 21일
초판 1쇄 발행 2013년 6월 28일

지은이 캐서린 크로퍼드
옮긴이 하연희

책임편집 김초희
책임디자인 유영준

펴낸이 이상순
주　간 서인찬
편집장 박윤주
기획전략팀 인현진
기획편집 유명화, 주리아, 김설아
디자인 최성경, 박희정
마케팅 홍보 김미숙, 이상광, 김종열, 권장규, 박순주

펴낸곳 (주)도서출판 아름다운사람들
주소 (413-756) 경기도 파주시 회동길 103
대표전화 031-955-1001　**팩스** 031-955-1083
이메일 books777@naver.com
홈페이지 www.books114.net

First published in Great Britain in 2012 by John Murray
A Hachette UK Company
WHY FRENCH CHILDREN DON'T TALK BACK
© Catherine Crawford 2012
Korean translation rights © Beautiful People 2013
Published by arrangement with Janis A. Donnaud & Associates, Inc. through Shinwon Agency.
This Agreement Shall be deemed to be a contract made in the United States and shall be construed
and applied in all respects in accordance with the United States Law, and the parties hereto submit
and agree to the exclusive jurisdiction of the United States courts.

프랑스 아이들은 왜 말대꾸를 하지 않을까

캐서린 크로퍼드 지음 | 하연희 옮김

아름다운사람들

신발을 거꾸로 신는 우리 아이,
과연 창의적인가?

《프랑스 아이들은 왜 말대꾸를 하지 않을까》는 한 미국 엄마의 프랑스 육아법 체험기다. 자타 공인 헬리콥터 맘의 집결지 브루클린에 살며 딸 둘을 키운다는 저자의 말을 들어보면, 육아가 아이와의 전쟁으로 돌변한 지 이미 오래되었고, 대부분의 부모가 속수무책 끌려다니다 두 손 두 발 다 들고 만다는 점에서 미국과 한국은 무척 닮았다. 창의력을 개발한답시고 아직 말문도 제대로 트이지 않은 유아에게 수화를 가르치면서 정작 예절 교육은 뒷전인 부모들과, 의미 없는 칭찬을 남발해서 아이를 통제 불능 '잘난척쟁이'로 만드는 미국 교육 환경에 염증을 느낀 저자는 프랑스 육아법에서 돌파구를 찾는다.

저자는 책 전반에 걸쳐 수많은 프랑스 친구 및 지인들을 찾아다니며 전수받은 기법과 요령을 구체적인 사례와 함께 상세히 소개한다. 일단 딸들을 키우며 맞닥뜨리는 고민을 적나라하게 털어놓고, 각 고민에 최적화된 해결책을 찾기 위해 어떤 과정을 거쳤는지, 프랑스식 해법이 딸들을 어떻게 바꿔놓았는지 설명한다. 저자의 고민은 이곳 대한민국 여느 엄마와 다르지 않다. 아이가 눈 뜨고 봐줄 수가 없는 옷을 입고 집을 나서려 할 때, 텔레비전 앞이 아니면 밥을 먹지 않으려 할 때, 만화를 한 편만 더 보겠다고 칭얼댈 때, 슈퍼마켓에서 장난감을 사달라며 드러누울 때, 벽에 낙서를 했을 때, 과연 어떻게 야단을 쳐야 효과적인지도 모르겠고 아이에게 이리저리 휘둘리고 있다는 느낌을 받는다. 또 아이가 신발을 거꾸로 신겠다고 고집을 피우면 개성으로 존중해야 하는지, 아니면 이쯤에서 제동을 걸어야 하는지 도무지 확신이 서지 않는다. 그럴 때마다 수세기 동안 이어진 전통 방식대로 우직하게 아이를 키우는 프랑스 부모들이 신선한 시각과 무릎을 치게 만드는 답을 제시한다.

이 책의 미덕은 정통 프랑스 육아법을 소개하는 데서 그치지 않고 미국식 접근법의 장점을 추출하여 접목시킨다는 데 있다. 미국 부모들과 고민하는 지점도, 엇나가는 정도도 소름 끼치도록 유사한 한국 부모들이 즉각 활용해볼 만한 유용한 아이디어가 가득하다.

저자는 "우리 애들은 태어나면서부터 그렇게 가르쳤더니 원래 그래야 하는 줄 알아"라는 프랑스 친구들의 말에 종종 질투와 좌절을 느꼈다고 털어놓으면서 한 살이라도 어렸을 때 프랑스 육아법을 시작하라고 조언한다. 그러나 또한 바꾸고자 마음을 먹었다면 충분히 가능성이 있으니 포기하지 말라고 용기를 북돋아 준다. 변화의 필요성을 절감하면서도 어디서부터 시작해야 할지 몰라 막막한 이 시대 부모들에게 꼭 필요한 길잡이다.

2013년 7월, 옮긴이 하연희

차례

옮긴이의 말 신발을 거꾸로 신는 우리 아이, 과연 창의적인가? 005

Chapter 1 왜 나만 육아 전쟁을 치르고 있을까? 011

Chapter 2 판이하게 다른 프랑스 엄마들 035

Chapter 3 병사는 사령관 하기 나름 059

Chapter 4 가정의 중심은 어른 099

Chapter 5   문제도 답도 식탁에 있다   153

Chapter 6   자율과 독재의 미학   177

Chapter 7   자라면서 익히는 삶의 품격   211

Chapter 8   달라진 우리 아이들   249

Chapter 1

왜 나만 육아 전쟁을
치르고 있을까?

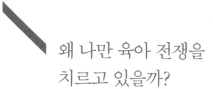

왜 나만 육아 전쟁을
치르고 있을까?

유행의 첨단을 이끄는 도시인 뉴욕에서, 유행의 첨단을 걷는 가족들 틈바구니에 끼어 딸 둘을 키우다 보니 종종 나를 당혹스럽게 만드는 부모들을 맞닥뜨리게 된다. 우리 세대로부터 배신자로 낙인찍히더라도 할 말은 해야겠다. 대체 언제부터 이렇게 됐는지 모르겠지만, 요즘 부모들은 어떻게든 아이들에게 올바른 방향을 제시해주고 비위도 맞춰주며 격려까지 아끼지 않는데도 아이들을 전혀 통제하지 못한다. 그러면서 자신의 삶에 대한 통제력까지 잃었다. 참 꼴사나운 상황이다.

나는 뉴욕 브루클린의 파크 슬로프에 산다. 전 세계 '헬리콥터 부모'들의 총사령부쯤 되는 곳이다. 내가 정기적으로 방문하는 맨해튼이나 포틀랜드, 오리건, 샌프란시스코, 시애틀, 로스앤젤레스도 사정이 다르지는 않다. 미국, 캐나다, 영국을 통틀어 중산층 동네라면 어디나 비슷하리라 생각한다. 어떻게 확신하느냐고? 진단법이 있다. 지금 이 글을 읽고 있는 당신도 갓난아이 때문에 쩔쩔매는 부모가 주변에 적어도 하나쯤은 있을 것이고, 부가부Bugaboo라는 네덜란드산 고급 유모차 브랜드를 적어도 한 번은 들어보았을 것이다. 또 런던에 심어둔 내 취재원들이 클래팜, 프림로즈 힐, 하이게이트(모두 런던에서 집값이 비싸기로 유명한 고급 주택지로, 정치인 등 유명 인사들이 많이 산다-옮긴이) 등의 동네가 특히 이런 경향이 심하다고 제보해준 바 있다.

30여 년 전, 우리 엄마는 하교 시간에 차를 몰고 나를 데리러 오면서 단 한 번도 과자를 서너 가지씩 바리바리 싸들고 온 적이 없다. 나 역시 맘에 드는 과자가 없다고 신경질을 부린 적도 없다. 엄마는 자신이 과연 엄마 노릇을 잘하고 있는지 걱정할 시간적 여유가 없었다. 그런데 내가 아는 요즘 부모들은 예외 없이 이런 고민으로 하루를 다 보낸다. 일단 나부터 그렇다. 이제는 달라지려 한다.

물론 '아이들은 눈에 띄어도 되지만 시끄럽게 굴면 안 된다'는 극단적인 옛날 교육 방식을 따르겠다는 말은 아니다. 나는 우리 아이들이 재잘대는 소리가 좋다. 하지만 늘 아이들을 바라보고, 얘기를 들어주고, 아이들 문제에만 집중하고, 분석하고, 고민하고, 매달리고, 아이들에게 백기를 드는 요즘 부모들의 세태가 절대 옛날 방식보다 좋아 보이지 않는다. 오히려 더 나쁠 수도 있다. 그렇게 자잘한 부분까지 일일이 부모와 상의하고 그럴 때마다 칭찬받으면서 자란 아이들은 나중에 선생님이나 직장 상사, 기타 멘토의 역할을 하는 사람이 그만한 인정을 해주지 않을 경우 매우 힘들어한다는 연구 결과도 나왔다.

나는 우리 아이들을 무척 사랑한다. 하지만 아이가 놀이터에서 친구들과 몸싸움을 하고 들어왔을 때나 잘못을 해서 벌을 받을 때마다 아이의 기분이 어떤지 일일이 신경을 쓰고 싶지는 않다. 아직 입 밖에 내뱉어보지는 않았지만, 아버지가 나를 키우시며 종종 하시던 말씀이 내 혀끝에서 맴돈다.

"네 생각은 안 중요해! 생각은 이 아빠가 한다!"

7년 전 '엄마 놀이'를 처음 시작하면서, 이 흥분과 도전과 해방의 시대에 걸맞은 육아 비법을 알아내고자 한배를 탄 부모들을 주의 깊게 관찰하곤 했다. '아, 저 엄마는 지금 다른 아이 눈에 모래를 뿌린 아들을 주물러주고 있구나. 애가 너무 긴장해서 그랬나? 그래서 못되게 굴었나? 여기서 얻을 교훈은? 그래, 아이를 편안하게 해주자.' 우리 동네에서는 문제를 '대화'로 풀어내려는 모습을 자주 볼 수 있다. 부모가 아이들에게 감정을 표현하라고 끊임없이 독려한다. 이를테면 레스토랑에서는 이런 식이다.

"리엄, 테이블에 왜 올라가고 싶니?"

"코코, 저 껍질콩에 왜 화가 났는지 얘기해보렴."

이 동네 사람들은 아이를 어른과 똑같이 존중하고, 좋고 싫음을 인정해줘야 한다고 굳게 믿고 있다.

우리 부모님은 나를 포함해 13남매를 두었다. 좋고 싫음을 인정해주고 말고 할 겨를이 없었다. 우리 집에서는 무조건 손아래가 손위를 '존중'해야 했다. 나는 별 불만이 없었다. 결국 아이도 사람이다. 몸집이 작고 도저히 이해가 안 되는 행동을 좀 자주 할 뿐, 사람은 사람이다. 듣기에는 그럴듯한데, 실제로 실천하려면 문제가 많다.

맏딸 우나Oona가 두 살 때 내게 했던 말이 아직도 기억난다. 내가 '말로 자기에게 상처를 준다'고 했다. 그 상처를 준 말이란 다름 아닌 '네 신발 엄마한테 가져와'였다. 아이 말에 죄책감이 느껴지긴 했지만 '진짜 상처가 뭔지 한번 보여줄까?'라는 생각도 했다. 다행히 그때는 그냥 웃으면서 방을 나왔다. 하지만 부모가 자녀를 대등하게 대한다고 해서 과연 얼마나 효과를 거둘 수 있는지 의구심을 품게 됐다. 아이들은 (운이 아주 좋을 경우) 7~8세는 되어야 이성적인 사고가 가능해진다.

프랑스인 친구 루시 뒤랑이 남편과 두 아이를 데리고 우리 집에 저녁을 먹으러 왔을 때 내 의구심은 현실로 드러났다. 순종적인 그 집 아이들은 부모가 조용히 하라고 하면 정말 조용해졌다. 식탁을 차리라고 할 때도 어르고 달랠 필요가 없었다. 그저 시키는 대로 했다. 저녁상에 나온 음식 중 먹기 싫은 음식은 그냥 안 먹었다. 그렇다고 그 부모가 다른 음식을 내밀지도 않았다. 치즈 스틱 하나도 주지 않았다.

저녁 식사를 마치고 부모들은 식탁에 남아 와인을 마셨고, 아이들은 거실로 가서 놀았다. 대체 얼마 만에 의자에 등을 기대고 앉아보는지 몰랐다. 하지만 술기운이 살짝 돌던 그 달콤한 순간은 오래가지 않았다.

막내 대프니Daphne가 내 관심을 끌기 위해 평소 하던 짓을 시작한 것이다. 바로 '미친 듯이 비명을 지르며 엄마를 소리쳐 부르기'였다. 이때 아주 작은 자극만 더해져도 바닥에 드러누워 세차게 발길질을 해댄다. 우리 식구는 이를 '매켄로 짓'이라고 부르는데, 여기에 대해서는 뒤에 더 자세히 설명하겠다. 매켄로는 미국 테니스계의 악동이었던 존 매켄로John McEnroe를 지칭한다. 문제아로 유명했던 프랑스 축구선수 니콜라 아넬카Nicolas Anelka나 영국 축구선수 조이 바턴Joseph Barton을 상상해도 좋다.

그러나 나도 네 시간이라는 짧지 않은 시간 동안 완벽하게 기능하는 뒤랑 가족을 목도한 터였다. 그래서 평소처럼 즉각 대프니에게 달려가는 대신 루시를 쳐다보며 조언을 구했다. 그런데 루시 부부는 옆방에서 미쳐 날뛰는 꼬마의 존재 따윈 전혀 의식하지 않는다는 듯 평화로운 얼굴이었다. 술기운 때문이었을까? 단연코 아니다!

드디어 루시가 간절한 내 눈빛을 알아챘는지 테이블 너머로 몸을 기울여 내 팔을 부여잡았다. 그리고 프랑스 엄마들은 익히 알고 있는 마법의 한마디를 건넸다. "피가 났다면 모를까, 절대 일어서지 마."

피가 났다면 모를까, 절대 일어서지 마라.

단순 명료하면서 심오하다. 그렇구나! 프랑스 엄마들은 그렇게 키우고 있었구나! 피도 안 났는데 경기를 중단시킬 필요가 없다! 육아를 농구나 축구 경기처럼 이어가는 것이다.

나는 일어서지 않았다. 내가 달려와 법석을 떨어주지 않자 대프니는 목청을 조금 더 높였다. 그러더니 울음을 터뜨렸을 때와 마찬가지로 급작스럽게 뚝 멈추고는 다시 아이들과 어울려 놀기 시작했다.

그날 이후, 나는 루시가 아이를 다루는 모습을 면밀히 관찰했다. 한동안은 내가 꼬마들의 프랑스어 실력에 정신이 팔렸을 뿐이라고 생각했다. 오물오물 프랑스어를 내뱉는 어린아이, 생각만 해도 귀엽지 않은가? 물론 그 귀여운 프랑스어로 엄마에게 '나가 죽어버려!'라고 말하고 있을 수도 있다. 하지만 관찰 결과, 절대 그렇지 않았다. 반항하며 눈을 흘기거나, 문을 쾅 닫거나, 벽과 바닥을 두들기거나, 음식을 던지거나, 조르는 법이 없었다. 부모의 말에 대드는 행위 자체를 하지 않았다. 안타깝게도 내 프랑스어 실력이 일천하여 루시와 아이들의 대화에 담겨 있었을 보석 같은 지혜를 많이 놓쳤다. 다만 엄마는 절대 아이들과 타협을 하지 않고, 아이들은 엄마에게 말대꾸를 하지 않는다는 사실은 명확했다. 나중에 루시에게 작정하고 물었을 때(비록 아이 때문에 잠이 모자라 눈은 미친 여자처럼 번뜩였을지 모르지만 최대한 정중하게 물었다), 그녀도 맞다고 확인해줬다.

이후 우리 집이 통제 불능 상태로 빠져들 때마다 나는 '루시 뒤랑이라면 어떻게 했을까?'라는 생각을 하곤 했다. 자존심 따위는 아이들이 남긴 음식 처리하듯 꾸역꾸역 삼켜버리고, 그녀에게 대놓고 조언을 구하기 시작했다. 예를 들어 대프니가 크레용으로 복도 벽을 온통 뒤덮어버렸을 때 우리 부부는 어째야 좋을지 확신이 서지 않았다.

육아 서적은 대부분 아이를 야단치면서 특정 사건에 너무 초점을 맞추지 말라고 한다. 한 가지 잘못을 놓고 지나치게 법석을 떨면 아이가 그 효과를 기억해 훗날 관심을 끌려고 똑같은 잘못을 되풀이할 수 있다는 논리다. 대프니가 아파트 전체를 크레용으로 칠해버릴 수도 있다는 이야기다!

대체 어떻게 다뤄야 할지 난감했다. '생각하는 자리'에 서 있으라고 해야 하나? 따끔하게 경고를 해야 하나? 아직 세 살도 채 되지 않았으니 장난감을 가지고 놀 '권리'를 박탈해봤자 별 의미도 없을 것이었다. 루시에게 프랑스에서는 어떻게 하냐고 묻자 단호한 답이 돌아왔다. "부엌에 가서 스폰지와 비눗물을 가져와. 그런 다음 애를 의자에 앉히고 낙서를 직접 문질러서 지우게 하면 돼." 믿을 수가 없었다. 낙서를 직접 지우게 한다고? 남편이 있는 힘껏 문질러도 잘 지워지지 않는 크레용 낙서를? 이어 루시는 대프니가 스스로 무슨 잘못을 했는지 깨닫고 낙서 지우기가 얼마나 힘든지 깨달을 때까지 아주 잠시만 시키면 된다고 했다. 답은 명확했다. 그렇지만 아이에게 촉각을 있는 대로 곤두세우고 유난을 떠는 미국식 육아법에 오래 젖어 있었던 탓인지 시야가 흐려져 있었다.

루시는 나에게 측은지심을 느꼈는지 기꺼이 도움을 제공해주었다. 그러나 동시에 내가 이 방면으로 요령이 없어도 너무 없다는 사실에 당황하는 눈치였다. 루시는 전문가 수준의 부모였을 뿐 육아 전문가는 아니었다. 자신의 육아법이 결코 혁신적이거나 새롭다고 생각하지 않았다. 프랑스에서는 아주 오래전부터 누구나 따랐던 방식이었기 때문이다. 내가 아이들과 대치를 벌일 때마다 루시는 마치 꿰어 맞춘 듯 딱 들어맞는 전략이나 회심의 한마디를 일러주었다. 그러나 무엇보다 부모와 아이 사이에 대치란 있을 수 없다는 그녀의 시각이 신선하게 다가왔다. 루시는 종종 이렇게 강조했다.

"캐서린, 총사령관은 결국 너야."

총사령관…. 그럴듯한 단어 아닌가?

나에게 루시는 육아 관련 조언의 화수분과 같았다. 하지만 루시는 프랑스 부모라면 누구나 실행하는 육아법일 뿐이라고 되풀이했다. 미국 부모들이 아이들의 감정과 정서에 대해 끝도 없이 고민하는 동안, 프랑스 부모들은 말대꾸하지 않는 아이를 키우고 있었다!

그리하여 나는 큰 깨달음을 얻었다. 나는 우리 가족을 좌지우지하는 총사령관이 될 수 있다. 남편을 든든한 부사령관 삼아 아이들로부터 집, 놀이터, 슈퍼마켓, 더 나아가 우리 삶의 통제권을 탈환할 수 있다! 아이가 생기기 전의 삶을 어느 정도 복구할 수 있다. 아니, 아이가 생기기 전의 삶과 비슷하되 더 향상된 버전이 될 것이다. 프랑스의 유명한 코미디언은 이런 말을 했다. "나는 내 아이들을 세상에서 가장 사랑하지만, 가끔 아이들이 태어나지 않았으면 좋았겠다는 생각을 할 때가 있다." 내가 아는 부모들은 대부분 (그만큼 솔직해질 용기만 있다면) 이 말에 동의할 것이다. 좀 더 프랑스적으로 표현하자면, 우리 모두 아이들과 시간을 보내고 싶어 하고 가능한 한 아이들이 행복하고 성공적인 삶을 누릴 수 있도록 도우려 하면서도 동시에 단 5분 만이라도 혼자 있기를 바란다.

혼자 있는 시간은 꼭 만들어야 한다. 미국 대도시 놀이터를 돌며 관찰한 결과, 아이들의 편안한 삶을 위해 부모는 뼈 빠지게 일하면서 불행을 자초하는 경우가 많았다. 국적을 불문하고, 부모가 피곤하고 불만에 가득 차 있다면 아이들에게 좋은 엄마 아빠가 될 수 없다. 내가 바로 이 악순환에 휘말려 있다는 사실을 알 수 있었다. 아이들을 기쁘게 해주려고 안간힘을 쓰다가 내 삶이 고달파졌다는 억울함이 밀려왔다. 그래서 현명한 프랑스 부모들을 본받아 뭔가 조치를 취하고 변화를 일으켜보기로 했다.

물론 이 문제에 대해 우나와 대프니의 생각을 묻지는 않았다. 훗날 이 책을 읽게 될 더없이 사랑스럽고 귀여운 두 딸에게 이 말을 해주고 싶다.

"미안! 그렇지만 우리 가족의 삶을 더 쉽고, 더 단순하고, 더 만족스럽게 만들려고 해서 미안하다는 말은 아니야. 그건 절대 아니지. 다만 이 야심 찬 시도에 너희의 의견을 반영하지 않아서 미안해(실상 내가 총사령관 모드로 전환하자 아이들은 "엄마, 우린 프랑스 사람이 아니잖아!"라며 항변하곤 했다).

또 하나, 미리 동의를 구하지 않고 너희를 이 이야기의 주인공으로 활용해서 미안해. 우리 딸들은 착하니까, 엄마가 이런 이야기를 좀 한다고 해서 크게 민망스럽지는 않겠지?"

이제 어느 정도 교통정리가 됐다! 그럼 시작해볼까?

우리 애들도 아주 어릴 적부터 지금의 성격이 형성되기 시작했다. 아기였을 때도 남편 맥Mac이 둘의 특징을 한마디로 설명할 수 있을 정도였다. 우나는 퓰리처상 수상 작가인 이디스 워튼Edith Wharton을, 대프니는 코미디언 존 벨루시John Belushi를 닮았다. 벨루시를 잘 모르는 사람들도 있을 텐데, 한때 미국을 휩쓴 인기 코미디언이었다. 번뜩이는 아이디어만큼이나 무절제한 생활로 유명했다. 그래도 잘 모르겠다면 코미디언 잭 블랙Jack Black과 루실 볼Lucille Ball을 섞어놓았다고 보면 된다. 여기서 한 발 더 나아가면 '매켄로 짓'이 나온다. 반면 우나는 차분한 타입이다. 예리하고 감성이 풍부하며 생각이 깊었다. 자기 성찰이 뭔지 아는 아이였다고 할까? 우나는 세 살 때 첫 번째 책을 썼고, 일곱 살 때 서평 블로그를 운영하기 시작했다. 학교 댄스파티에서도 선생님들과 어울려 노는 부류였다. 침대에 누워서 글을 쓰던 때도 있었다. 딱 이디스 워튼이다.

문제는 대프니다. 언니와는 완전히 다르고 훨씬 거칠다. 괴짜에 가까운 그 아이는 변속기가 없는 자동차 같다. 도무지 속도가 줄어들지를 않는다. 넘치는 에너지를 주체하지 못해 자면서도 움찔거리다가 눈을 뜨자마자 쏜살같이 우리 침대로 달려온다. 몇 시에 잠이 들었건 늦어도 아침 7시면 어김없이 눈을 뜬다. 인조인간이 아닌가 생각될 때도 있다. 자정이 다 돼서 잠이 들었어도 아침 6시 30분이면 벌떡 일어나 아빠와 레슬링 한판을 벌인다. 활력이 넘치고 욕심도 많고 시끄럽다. 언제나 그랬다. 자랄수록 더한 좌충우돌이 예상된다. 그래서 벨루시다.

아빠와의 새벽 레슬링은 항상 대프니의 승리로 끝난다. 남편 맥은 벨루시보다 워튼에 가깝다. 저녁 식사 후에 에스프레소 더블을 마셔도 아기(대프니가 아닌 보통 아기)처럼 곯아떨어지고 늦게 일어난다.

대체 대프니는 누굴 닮아 이럴까? 우나가 맥을 닮았으니까…. 그렇다. 둘째는 나를 닮았다. 어릴 때는 나를 꼼짝 못 하게 붙들어 놓고 '고양이 오줌'이라 놀리며 얼굴에 대고 방귀를 뀌던 남자 형제 아홉(그렇다, 아홉!)과 맞서 싸워야 했고, 축구팀에서 공을 차느라 뺨에 상처를 달고 살았다. 10대로 접어들기 전부터 운동화보다 롤러스케이트를 타고 다녔다. 물론 벨루시 같다는 말이 미친 듯 에너지가 넘친다는 뜻만은 아니다. 대프니는 정말 웃기는 아이다. 천재적인 코미디언이 될지도 모르겠다. 두 살짜리가 엉덩방아로 가족을 웃길 줄 알았으니 말 다했지.

별명에 걸맞게 우나의 유머는 대프니보다 지적이다. 최근엔 '오늘의 농담'을 하나씩 만들어내는 데 재미를 붙였는데, 이런 식이다. "코끼리가 왜 발톱을 빨갛게 칠했는 줄 알아? 벚나무 뒤에 숨으려고."

커가면서 성향이 약간 옅어지긴 했지만 대체로 바뀌지 않고 유지됐다. 아이들은 성향별로 독특한 과제를 부모에게 안긴다. '이디스 워튼형' 아이는 스스로 부모보다 똑똑하다고 생각해서 눈을 치켜뜨는 등의 건방진 행동을 놀랄 만큼 일찍부터 시작한다. 정의감이 투철한 워튼형은 비도덕적인 상황을 보면 이를 바로잡으려 하거나 최소한 지적이라도 하려 한다. 특히 아무 데서나 담배를 피우고 쓰레기를 함부로 버리는 사람을 가만 두지 못한다. 이런 아이에게 윗사람을 존중해야 하며, 어른들은 보통 꼬마 말에 귀를 잘 기울이지 않는다는 사실을 납득시키기란 쉽지 않다.

'존 벨루시형' 아이는 앞에서 보았듯이 불쾌한 감정을 서슴없이 드러낸다(즉, 매켄로로 돌변한다). 쇼핑몰이나 체육관같이 사람이 많이 모이는 곳에서는 목청이 더 커진다. 벨루시형은 정직과 거리가 멀 때가 많다. 일단 거짓말을 해도 무사히 위기를 모면할 수 있는지 시험해보려는 경향이 짙다. 그렇다고 해서 지나친 걱정을 할 필요는 없지만, 숨겨둔 과자가 하나씩 없어질 때마다 혹시 아이가 비뚤어지려는 전조는 아닌지 어쩔 수 없이 염려가 된다.

워튼인 우나와 벨루시인 대프니, 눈에 넣어도 아프지 않을 두 딸이 '우리 가족 프랑스화 프로젝트'에 참여해줘서 얼마나 고마운지 모르겠다. 프랑스식 육아법을 우리 삶에 접목시키는 데 있어 남편을 포함하여 세 부녀는 더할 나위 없이 든든한 버팀목이 돼주었다.

우리 중 가장 어린 대프니조차 놀랍도록 성실하게 새 접근 방식을 따라주었다. 하루는 아침 7시에 깨어나더니 여전히 반쯤 감긴 눈으로 이렇게 말했다.

"프랑스 애들이 토해놓은 건 어떻게 생겼어?"

그렇다. 우리 모두 '프랑스에서는 어떨까?'에 집착했다. 프랑스 아이들은 모두 완벽하고, 미국 아이들은 전부 버릇없는 속물이라거나 응석받이란 말은 절대 아니다. 그저 우리 양키들, 그리고 그리 멀지 않은 친척인 영국인들이 가정교육 방식을 재검토할 필요가 있고, 내가 아는 한 프랑스 엄마들은 훌륭한 모범 사례를 보여주고 있으며,

이를 통해 우리 부모의 삶은 물론 아이들의 삶까지 바꿀 수 있다는 말이다.

프랑스화 프로젝트를 시작하면서 나와 같은 처지에 놓여 있던 부모들이 보여준 태도 역시 나를 당황스럽게 만들었다. '새가슴의 전당'이 있다면 모두 미국 부모들의 차지가 되지 않을까? 친척부터 놀이터에서 처음 만난 부모들까지 내 프로젝트에 반대하는 이들을 수도 없이 맞닥뜨렸다. 엄마들은 누군가가 자신의 생각이 틀렸다고 지적하거나 자신의 권위에 도전하면 불쾌해한다. 돌이켜 보니 우리 친정엄마 역시 마찬가지였다. 아이 문제라면 누구나 과민해진다. 그럴 수밖에 없다.

부모 눈에는 아이의 나쁜 습관까지 사랑스러워 보인다. 미국 부모들을 공격하려는 의도는 아님을 분명히 밝혀둔다. 그저 몇 가지 나쁜 습관을 바로잡음으로써 삶의 구원이 찾아올 수 있다고 알리려는 것뿐이다. 예를 들어 대프니가 소리를 지를 때 사탕으로 타협을 보려고 했던 과거 내 행동이 나쁜 습관으로 분류된다.

이 책에서는 실존하는 등장인물들의 프라이버시 보호를 위해 실명 대신 가명을 사용하고 상황을 조금씩 바꿨다. 이 책에 실명으로 등장하는 인물은 우나, 대프니, 맥뿐이다. 이 책 때문에 몇몇 친구와의 관계가 악화될지도 모르겠다. (내 생각이 틀렸기를 바란다. 나는 아이 키우는 친구들 모두를 진심으로 사랑하고 그들의 고뇌에 공감한다.) 실명을 사용했다면 문제가 더 심각했을 것이다. 최대한 별명이나 약칭을 써서 피해를 줄이려 했다.

이제 헬리콥터 부모들의 집결지인 브루클린의 파크 슬로프로 돌아가 보자. 뉴욕 브루클린은 어느 동네나 내 프로젝트에 딱 맞는 환경을 갖추고 있다. 우선 프랑스인이 많이 산다. 어디를 가든지 프랑스인 부모와 예의 바른 자녀들을 관찰하고, 연구하고, 물어보고, 따라 하기 쉽다. 그 덕분에 시간 낭비를 줄일 수 있었다. 아이가 어릴수록 1분 1초가 중요하다. 왜 엄마가 나서서 놀이 친구와 약속을 잡거나 공연장에 데리고 다니며 시간을 허비하는가? 내가 어릴 때만 해도 아이들은 수영, 댄스, 피아노 외에는 사교육을 거의 받지 않았다. 수영은 물에 빠져 죽지 말라고 가르쳤지 대회에서 메달을 따 오라는 목적이 아니었다. 댄스는 대개 여자아이들이 배웠고, 피아노는 예술적 재능보다 절제력을 길러주기 위해 가르쳤다.

바이올린이나 축구는 학교에 들어간 뒤에야 배웠다. 일본식 권법인 가라테 같은 호신술을 배우는 아이는 찾아보기 힘들었다. 한데 요즘은 요가를 배우는 갓난아기가 한 집 건너 하나씩이다. 요가 배우는 갓난아기가 없는 집에는 강도 높은 교육 덕에 아직 말문은 안 트였어도 수화를 배운 유아가 있거나 중국어 과외를 받으면서 심리 분석을 정기적으로 받는 5세 정도의 아이가 있다. 그 부모들에게 21세기 육아법에 관한 설문 조사를 해보라. 현재 난무하는 수많은 학설과 제품이 쏟아져나올 것이다.

우리 세대 부모들의 아이에 대한 애정은 이전 세대 못지않다. 그러나 전례 없이 방대한 자료와 정보가 넘쳐흐르다 보니 아이들에게 뭐든 다 해주려고 스스로를 혹사하게 된다.

육아 관련 연구와 이론을 두루 섭렵해도 내 아이에게 가장 적합한 육아 방식을 찾아내기란 쉽지 않다. 일례로 한 유명 육아 서적에는 아이가 세상에 홀로 맞설 준비가 되었다는 확신이 들 때까지 원하는 만큼 부모 옆에 붙어 있게 해줘야 독립심을 키울 수 있다고 나온다. 반면 어떤 이론가는 아이가 알아서 놀고, 스스로 마음을 가라앉히고, 혼자 잠자리에 들도록 가르치지 않으면 절대 독립심이 생기지 않는다고 주장한다. 양쪽 모두 나름대로 설득력이 있는 만큼 신출내기 부모들은 혼란에 빠지기 십상이다.

현대 사회의 부모는 끊임없이 선택을 강요당한다. 새로운 아이디어와 주장이 매일 등장하고 있으니 '갓난아기 기저귀로 뭐가 좋다더라'와 같은 유행의 물결에 당연히 휩쓸리게 된다. 그러나 나는 특정 육아법이 실패로 돌아갔다는 이유로 새로운 방식을 시도하면 더 큰 실패를 겪을 수도 있다는 사실을 발견했다. 내 주변에는 어떻게든 아이의 비위를 맞춰보려고 말 그대로 굽실거리는 부모들이 널려 있다. 보기만 해도 속이 뒤집히는데, 내가 그런 부모 집단의 일원이 된다고 생각하니 정말 끔찍하다. 이는 젠체하는 우리 동네 엄마들이나 우리 집에만 국한된 문제가 아니다. 영어권 세계 전역에 걸쳐 육아가 잘못된 방향으로 흘러가고 있다. 쇼핑몰, 공항, 주유소 등 어디를 가든 버르장머리를 고쳐놓고 싶은 아이들이 넘쳐난다. 레스토랑은 두말할 필요도 없다!

아이가 생긴 뒤 나는 줄곧 양날의 칼 같은 이 깨달음을 끌어안고 끙끙댔다. 우리 엄마가 아닌 다른 사람이 내게 진실로 효과적인 방법을 알려주길 바랐다. 친정부모님은 독실한 가톨릭 신자다. 13남매 출산을 포함해서 부모님의 육아 관련 결정은 대부분 신앙을 바탕으로 이루어졌다. 즉, 엄마의 조언은 엉터리 신자인 나에게 통할 리 없었다.

책을 들이파고, 다른 엄마들과 얘기를 나누고, 인터넷을 뒤지는 등의 방법을 통해 나는 효과적이면서도 아이들에게 애정이 분명히 전달되며 자존감을 키워줄 수 있는 육아법을 찾으려 했다. 지금쯤이면 비결을 찾아내지 않았을까 생각할 수도 있겠다. 한데 딱 잘라 말하기 좀 애매하다.

일단 대프니는 네 살이 될 때까지 매일 밤 우리 침대로 기어들어왔다. 또 하나, 우리 딸들은 비교적 잘 먹는 편이긴 했지만 우리 집 저녁 식탁은 내가 어릴 적 경험했던 격식을 갖춘 가족 식사와는 거리가 멀었다. 무엇보다 아이들과의 협상이 끝없이 이어졌다. 같은 고민을 하는 부모는 나 말고도 많다. 아이에게 사과하는 부모를 발견할 때마다 1센트씩 받았다면 나는 100달러가 넘는 유아용 어그부츠 살 돈을 순식간에 마련할 수 있었을 것이다.

아이들도 마음에 들지 않고 그런 아이들을 대하는 스스로의 방식도 마음에 들지 않았던 나는 은밀히 조사에 착수했다. 공공장소에서 올바르게 행동하는 아이를 찾아내 관찰하면서 그 원인을 분석해보려 했다. 내 연구를 일반화할 생각은 전혀 없지만, 비밀스런 조사가 진행될수록 내가 찾아낸 꼬마 모범 시민이 대부분 외국 아이라는 사실을 알게 됐다. 여기에 루시네 가족 사례까지 겹쳐지면서 내 생각은 점점 확고해졌다. 우리 세대 부모들은 올바른 육아법을 찾는 데 지나치게 몰두한 나머지 이미 검증된 훌륭한 기법을 손가락 사이로 흘려보내고 있었던 것이다. 나에게는 프랑스 방식이 절실히 필요했다.

우리 식구 프랑스화 프로젝트에서 가장 큰 비중을 차지하는 세 사람은 이미 소개했지만 등장인물이 더 있다.

프랑스인들은 브루클린을 유난히 좋아하는 듯하다. 앞서 말했듯이 관찰 대상으로 삼을 만한 프랑스 가족은 얼마든지 있었다. 딸들이 다니는 학교에도 프랑스 아이들이 많았고 레스토랑이나 옷 가게, 카페마다 연구 대상이 넘쳐났다. 게다가 프랑스 본토가 있지 않나? 말 잘 듣는 아이들의 고향 땅을 방문해볼 필요가 있었다.

다행스럽게도 프랑스인은 자부심이 대단히 강했다. 모두 자신들의 고유한 육아법에 대해 긴 시간 설명하기를 마다하지 않았다. 유일한 예외는 맨해튼 어퍼 웨스트사이드에 있는 한 도서관의 프랑스어·영어 구연동화 시간에 만난 프랑스 엄마 셋뿐이었다. 하지만 그들이 비협조적이었던 이유는 프랑스어를 유창하게 구사하는 한 미국 엄마가 나를 경계하라고 말하고 다녔기 때문이었다. 물론 나도 자주 어울리는 프랑스인 '절친'들이 있었다. 적극적으로 내 궁금증을 풀어주는 엄마들이었다. 그러나 대다수 프랑스인들은 자부심이 강한 만큼 사생활 역시 중요하게 여기기 때문에 이 책에 등장하는 모든 프랑스인에게 가명을 부여했다.

새로운 육아의 세계를 탐험하기 위해 프랑스 본토의 전문가들에게 도움을 구하기도 했다. 단, 프랑스 스타일을 덮어놓고 맹신하며 미국인과 영국인이 반드시 따라 해야 한다는 의미는 결코 아니다. 우리가 옳은 경우도 많다. 특히 나는 우리의 문화적 DNA에 담겨 있는 '할 수 있다!' 정신을 신봉한다. 또 아기가 아무리 버릇없게 군다 해도, '목욕물과 함께 내다 버리라'는 말 따위는 도저히 할 수 없다.

몇 년 전 프랑스 의회에서 체벌을 금지하는 문제가 논의되기는 했지만, '라페세La fessée'라 불리는 엉덩이 때리기는 프랑스에서 일상적으로 쓰이는 체벌이다. 미국에서도 엉덩이 때리기가 여전히 합법이라고 하는데, 어쨌건 브루클린에 10년을 살면서도 프랑스에 단 일주일 머물며 목격한 만큼의 라페세를 보지는 못했다.

체벌 문제는 그렇다 치고, 내가 프랑스에 주목하게 된 데는 그만한 이유가 있었다. 친정엄마는 내게 16세기 프랑스 신교도, 즉 위그노의 피를 조금 물려줬다. 엄마는 아마 당신의 할머니인 로즈 샤보의 영향으로 프랑스 관습을 존중하게 된 것 같다. 아, 우리 증조할머니 이름도 실명이다. 등장인물 중 돌아가신 분들은 실명을 쓰기로 하겠다. 어쨌든 내가 어렸을 때 엄마와 아빠 모두 프랑스인의 '우아함'과 '침착함'을 본받아야 한다고 말하곤 했다. 내 남동생 중 하나가 장애를 갖고 태어나자 기적을 바랐던 엄마 아빠는 그 많은 성지 중에 피레네산맥의 루르드(프랑스 서남부에 있는 도시. 가톨릭 순례지로 인근 동굴 위에 유명한 마리아 성당이 있다-옮긴이)를 골라 데려갔다.

어릴 적 우리 부모님은 프랑스인들이 일 처리가 야무지다는 말씀을 자주 하셨다. 그 영향을 받아 프랑스에 대한 내 감정도 조금 맹

목적이다 싶을 정도로 심화되었음을 인정한다. 나는 열여섯 살에 처음 파리에 갔다가 그 도시와 사랑에 빠졌다. 파리는 너무나 아름다웠다. 요즘 우리 집 주변을 둘러보면 에펠탑을 모방한 구조물이 최소한 여덟 개는 되는 것 같다.

나는 맥과 16년 전 할로윈을 처음으로 함께 보내면서 결혼 결심을 굳혔다. 남편은 그때 '틴틴' 차림으로 나타났다. 틴틴은 《틴틴Tintin》이라는 만화의 주인공으로 벨기에 만화가가 만든 캐릭터이지만, 프랑스에서 인기가 더 높다. 최근 서재 책 더미에서 《틴틴》을 발견한 우나도 만화 속 캐릭터인 해덕 선장이 술을 들이켜듯 만화에 빠져들었다. 대체 여섯 살배기가 "엄마, 아편굴이 뭐야?"라고 물으면 프랑스 엄마들은 뭐라고 답할까? 별 걸 다 알려준 데 대해 틴틴에게 고마워해야 하나? 큰아이의 베이비 샤워에서 우리는 어린 소년과 빨간 풍선의 모험을 다룬 프랑스 영화 〈빨간 풍선The Red Balloon〉의 DVD를 두 개 받았다. 하나는 프랑스어, 나머지 하나는 영어였다. 후에 이 영화의 크라이테리언 컬렉션 DVD까지 확보했다. 내가 제일 아끼는 접시는 필리뷰이Pillivuyt(프랑스 명품 그릇 브랜드-옮긴이) 브라세리 컬렉션이다(1920년대 프랑스 레스토랑과 카페의 메뉴가 가격과 함께 찍혀 있다).

프랑스인들의 육아에 관한 지혜를 공유하려고 관찰을 거듭하면서 내 '친프랑스주의'는 더 확고해졌다. 탐구 초기부터 나는 가장 일상적인 경험조차 친프랑스 렌즈를 끼고 바라보기 시작했다. 예를 들어, 지난여름 우리 부부는 아이들과 함께 뉴저지 해변에서 일주일을 보냈다. 아직 프랑스식 육아법에 발을 깊이 담그기 전이라서, 코앞에 바다를 두고 소독약 냄새 진동하는 호텔 수영장에서 놀겠다며 고집 부리는 아이들을 묵인해줬다. 하지만 당시에도 내 관심은 온통 프랑스식 육아법에 집중되어 있었다.

남편과 내가 수영장 물에 발만 담그고 앉아 있는데 대프니가 소리쳤다. "엄마, 나 좀 봐! 나는 상어야, 엄마!" 이어서 우나가 외쳤다. "아빠! 나 미끄럼틀 탄다!" 두 딸은 끊임없이 소리를 질러댔고, 우리는 "그래. 알았어!"를 되풀이했다. 어느 날 오후, 그날도 그렇게 앉아 있는데 10대 초반으로 보이는 아이들 몇몇이 수영장 놀이를 하고 있었다. 종합해보면 수영장 놀이는 이렇게 진행되었다. '술래는 수영장 한쪽 벽에 붙어 있고, 나머지는 반대편 벽에 가서 선다. 술래가 반대편 아이들에게 가장 좋아하는 영화, 가장 좋아하는 음식 등 주제를 제시한다. 반대편 아이들은 상의를 거쳐 한 가지 답을 정한 뒤 술래에게 맞혀보라고 한다. 술래가 답을 맞히면 반대편 아이들은 일제히 술래 쪽 벽을 향해 헤엄쳐 간다. 아이들이 벽에 닿기 전 술래는 아이들을 최대한 많이 잡아야 한다.' 나는 대프니의 상어 놀이를 건성건성 쳐다보는 틈틈이 수영장 놀이를 관찰했다. 그러던 중에 흥미로운 상황이 벌어졌다.

이번에 술래가 맞혀야 할 문제는 제일 좋아하는 음식이었다.

술래가 "치킨!"이라고 외쳤지만 반대편 아이들은 미동도 하지 않았다. 술래는 다시 "치킨 파르메산!"이라고 외쳤다. 역시 움직임은 없었다. 술래가 "치킨 파르메산 링귀니!"라고 외쳤다. 그러자 아이들은 일제히 물보라를 일으키며 헤엄치기 시작했다.

치킨 파르메산 링귀니? 그게 가장 좋아하는 음식이라고? 술래가 그걸 맞혔다고? 이 지역 아이들이 특이하다고 볼 수도 있겠지만 내 생각은 다르다. 다른 도시에서도 10대 아이들이 치킨 파르메산 링귀니라는 말 한마디에 물살을 가르고 있을지도 모른다.

어느새 내 마음은 뉴저지의 호텔 수영장에서 대서양 건너편으로 이동했다. 어쩌면 같은 시각 프랑스 서해안의 호텔 수영장에서 똑같은 놀이가 벌어지고 있지 않을까? 치킨 파르메산 링귀니 대신 이런 식이겠지.

"오리! 오리 마거릿! 오렌지 소스 오리 마거릿!" 그때, 막 10대에 접어든 아이들 정도면 세련된 미각과 음식에 대한 흥미를 키워주기에 그리 늦지는 않았다는 생각이 들었다.

프랑스 아이들이 수영장에서 어떤 놀이를 하는지는 끝내 파악하지 못했지만 생각보다 많은 정보를 획득했다. 쉴 새 없이 변하는 육아 트렌드에 익숙해진 내가 보기에 프랑스의 육아법은 수년 전이나 지금이나 별반 달라지지 않았다. 엉덩이 때리기가 여전히 유효하다는 점에서 무시무시하기도 하지만 전반적으로는 안도가 된다. 신출내기 부모들이 육아 서적을 뒤지며 갈팡질팡하지 않아도 되니까. 육아 서적 코너는 아주 사소한 문제(아이가 밤에 깨지 않고 내리 자도록 만들 방법은 없는가 등)를 놓고도 혈전이 벌어지는 전쟁터다. 그렇다고 너무 부담을 느낄 필요는 없다. 잘못된 선택을 한다 하더라도, 아이가 그저 좀 불행한 삶을 살다가 참담한 실패를 맛본 뒤 아이

비리그 대학 근처에도 못 가게 될 뿐이니까. 올바른 선택을 했다면? 지명수배 된 테러범 수준의 수면 부족에 시달리면서 일생일대의 결정을 내려야 하는 상황에 끝없이 내몰리게 될 것이다. 애들은 둘째 치고, 부모 중에 이를 견뎌내는 이가 있다면 그야말로 기적에 가깝다고 할 수 있겠다.

그래서 나는 엄마가 된 지 5년 만에 제3의 길이 있을지도 모른다는 깨달음을 얻었던 그 순간, 감동의 눈물을 주체할 수 없었다. 그 길은 바로 프랑스인들이 가는 길이었다. 그렇다면 프랑스인 취재원들이 알려준 아이디어가 모두 성공적이었을까? 물론 아니다. 내가 훌륭한 조언을 빠짐없이 실천에 옮겼을까? 부모라면, 혹은 주변에 부모가 하나라도 있다면 이미 답을 알고 있을 것이다.

하지만 몇 가지는 확실하다. 일단 프랑스 방식을 도입한 뒤 놀랄만큼 빠른 시간 안에 대프니의 '매켄로 짓'이 줄어들었다('벨루시 성향'은 크게 바뀌지 않았다. 이 아이는 정말 힘이 넘쳐난다!). 우나의 건방지게 눈 흘기는 버릇도 눈에 띄게 좋아졌다. 실험을 시작한 지 수 개월이 지나 이 글을 쓰고 있는 지금, 두 아이는 오히려 프랑스 방식을 좋아하게 됐다. 여름휴가를 파리에서 보내자고 했더니, 프랑스 패스트리를 먹을 수 있겠다며 잔뜩 들떠 있다.

얼마 전부터 우나가 프랑스어 사전을 들춰 보기 시작했다. 그러던 어느 날 옆방에서 낄낄대는 소리가 들렸다. 뭐가 그리 웃기냐고 물었더니 우나는 곧이곧대로 말해도 될지 모르겠다는 듯 잠시 머뭇거렸다. 일곱 살짜리가 봐서는 안 될 내용을 보았다고 혼날까봐 걱정하는 눈치였다. 우리는 괜찮다고, 말해보라고 했다. 그러자 우나가 숨을 들이쉬며 말했다.

"C'est une garce."

번역하면 '개 같은 놈'이란 뜻이다.

우나와 대프니는 이 작은 일탈 행위에 웃음을 참지 못하며 춤까지 췄다. 얼마 전만 해도 불가능해 보였던 일을 프랑스인들이 해낸 것이다. '이디스 워튼'과 '존 벨루시'가 한데 어울리고 있다니…! 그들은 또 어떤 기적을 행할 수 있을까? 확인해보기로 마음먹었다.

Chapter 2

판이하게 다른
프랑스 엄마들

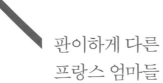

판이하게 다른
프랑스 엄마들

'나는 이곳을 정말 사랑한다.'

파리에 들를 때마다 떠오르는 감상이다. 하지만 몽마르트르 언덕에서 함께 식사를 하던 임신한 프랑스 친구가 코스 요리의 샐러드를 건너뛰겠다고 했을 때는 말 그대로 심장이 터질 것만 같았다. 그 친구는 아기에게 철분이 좋다면서 주문한 레드 와인 한 잔을 손에 든 채 이렇게 설명했다. "프랑스에선 임신하면 날것은 잘 안 먹어. 특히 녹색 잎채소는." 그럴 일은 절대로 없겠지만, 만약 다시 임신을 한다면 이것만큼은 반드시 프랑스식을 따라야겠다고 마음먹었다. 나는 채소를 꽤 좋아하는 편이다. 하지만 임신 중에는 채소가 마치 손에 잡힌 물집이나 엉망으로 잘라놓은 머리카락만큼 비위에 거슬렸다. 우나를 가졌을 때나 대프니를 가졌을 때나 열 달 내내 입덧이 이어졌다. 그나마 인스턴트 매시드 포테이토나 인스턴트 오트밀은 좀 입맛이 당겼지만, 나는 시종일관 케일, 근대, 로메인상추만 꾸역꾸역 먹어댔다. 아기를 위해서! 채소가 아니라 염소 눈알이었다 해도 아기에게 좋다고 하면 삼켰을 것이다.

지금 생각하면, 프랑스 방식으로 눈을 돌리기까지 왜 그토록 오랜 시간이 걸렸나 싶다. 프랑스의 미셸 코엔 박사Dr. Michel Cohen가 쓴 《육아에 관한 새로운 기본The New Basics》을 읽기 시작한 순간 깨달았어야 했다. 극도의 불안감을 조성하는 《육아에 관한 모든 것What to Expect》 시리즈라든가 '애착 육아'를 소개한 소아과 의사 윌리엄 시어스William Sears의 지나치게 감성적인 이론을 거친 뒤에야 코엔 박사의 자유방임론을 받아들일 준비가 됐다. 아마도 영국인들은 지나 포드Gina Ford(산부인과 간호사 출신의 육아 서적 저술가. 한때 영국 육아 서적 시장의 25%를 장악했다-옮긴이)란 이름에 비슷한 반응을 보일 것이다. 첫 임신 8개월째에 한 친구가 육아 초기 문제를 다룬 코엔 박사의 책을 보내줬다. 돌이켜 보니 그 친구는 아이가 없었다. 아마 손에 집히는 대로 골랐을 것이다. 나는 그 책을 열심히 읽고 난 뒤 보통 미국 엄마들이 했을 법한 행동을 했다. 즉, 같은 주제를 다룬 책을 여덟 권 더 읽었다. 이것이 미국식이다. 우리는 임신을 과제나 업무처럼 받아들이고 관련 이론에 통달하기 위해 정보를 게걸스럽게 먹어치운다. 그러다 보면 제 풀에 지쳐 나가떨어지게 마련이다. 더욱이 내 경험에 따르면 육아 이론을 섭렵하겠다고 달려드는 순간 극도의 혼란과 좌절이 이어질 뿐이다.

코엔 박사는 서문에 '이 책을 읽은 부모들이 편안해지기를 바란다'고 썼다. 첫아이가 태어나기 꼭 한 달 전에 출간됐지만 나는 7년이 지나서야 본격적으로 관심을 갖게 됐다. 편안해지라고? 아주 단순한 개념인데도 나는 아기가 열이 조금 오르거나, 설사가 살짝 비치거나, 심지어 소독기가 없는 곳에서 고무젖꼭지를 바닥에 떨어뜨리기라도 하면 완전히 정신이 나가버렸으니!

이제 육아 초기에 읽었던 글을 되짚어가며 우리 세대 부모들이 왜 지금처럼 혼란에 빠지게 됐는지 파헤쳐보려 한다. 이 훌륭한 프랑스 박사가 매 꼭지에 걸쳐 엄마들에게 전달하는 지침은 긴장을 풀라는 것이다. 예를 들어 아기가 오다리라며 걱정하는 부모들에게 그는 이렇게 말한다. "나는 다리가 곧게 뻗은 아기를 본 적이 없다. 아기 때는 누구나 조금씩 다리가 휘어 있고 남보다 좀 많이 휜 아이도 있다. 하지만 나이가 들면서 곧게 펴진다. 성인이 될 때까지 완전히 펴지지 않는 경우도 있지만 걱정할 필요는 없다. 특히 카우보이가 되는 데는 아무 문제없다." 시종일관 이런 식이다. 그래서 이 책을 좋아할 수밖에 없다. 그럼에도 불구하고 프랑스의 예비 부모들이 읽는 육아 서적에 비하면 나름 미국 독자들을 겨냥하고 있어 유난한 편이다.

둘째 출산을 앞두고 있던 여동생이 내게 울면서 전화했던 날이 생생하게 기억난다. 둘째가 태어나면 두 살배기 큰애가 엄마의 관심을 빼앗겼다고 생각할 텐데 어쩌면 좋으냐고 걱정을 늘어놓기에, 나는 그간 책에서 얻었던 정보를 총동원하여 조언을 쏟아냈다. 큰애가 소외감을 느끼지 않게 특별한 물건을 안겨 줘라, 둘째를 낳은 뒤에도 큰애와 단둘이 시간을 보내라, 신생아 선물을 사오는 손님들에게 큰 애 선물도 함께 준비해달라고 미리 귀뜸해라 등이었다.

사랑하는 큰아이에게 상처를 줄지 모른다며 히스테리를 부리는 여동생 때문에 급기야 나까지 눈물을 쏟고 말았다. 그런데 코엔 박사의 책에 따르면 내 조언은 잘못되어도 한참 잘못되었다. 아기가 태어난 뒤 큰애가 그릇된 행동을 했을 때 절대 그냥 넘어가서는 안 되며, 누구에게도 미안해할 필요가 없다고 했다. 형제자매는 소중한 선물이다. 큰아이는 동생이 생겼다는 사실을 응당 기쁘게 받아들여야 하며, 또 저절로 그렇게 받아들이게 된다고 했다. 구구절절 옳은 말이다. 이것이야말로 진정한 프랑스식이다.

나는 이상하게 힘이 흘러넘친다 싶었을 무렵 임신 사실을 알게됐다. 디스코텍에서 지렁이 춤을 미친 듯이 춰댔으니⋯. 그런 나에게 임신은 예전에 없던 걱정거리를 한 아름 안겨줬다. 주변 사람들이 일제히 수돗물부터 달걀, 매니큐어 제거제, 정신적 스트레스에 이르기까지 조심 또 조심해야 한다고 잔소리를 퍼붓기 시작한 것이다. 전쟁영화도 보지 말라는 말까지 들었다. 전문가와 상의를 거치지 않고서는 숨도 마음대로 쉬지 못할 판이었다. 심지어 한 친구는 끽끽거리는 지하철 소리가 태아의 고막 형성에 악영향을 줄 수 있다는 말로 나를 겁에 질리게 만들었다. 평소에 전혀 과민한 편이 아니었는데도 엄습해오는 불안감을 떨칠 수가 없었다. 사람들이 모두 '이렇게 험한 세상에 어떻게 애를 낳아 키울 생각을 했냐'고 혀를 차는 듯했다. 영화

〈아리조나 유괴 사건Raising Arizona〉에 나왔던 니컬러스 케이지의 대사를 빌려 좀 더 완곡하게 표현하자면 '아기들에게 세상은 때때로 너무 험난하다'. 물론 도둑질로 연명하는 니컬러스 케이지의 캐릭터는 이 상적인 부모상과 대척점에 있지만, 어쨌든 이 대사에는 현실적 진리가 담겨 있다. 아기들에게 세상이 늘 험난하지는 않다. 가끔 그럴 뿐이다.

프랑스인이 '자궁에 찾아 든 손님'에게 무심하지는 않지만, 분명히 대서양 반대편의 미국 임신부처럼 호들갑을 떨지는 않는다. 프랑스 임신부들과 이야기를 나눌 때마다 미국 여성들이 흔히 내뱉는 "어머, 어머, 심호흡!"의 정서 따위는 없음을 거듭 확인할 수 있었다.

물론 프랑스 여성이라고 해서 임신 기간을 거저 보내지는 않는다. 프랑스 북서부 브르타뉴 출신의 한 친구는 내게 "아무래도 타르타르스테이크우리나라 육회와 비슷한 음식를 좀 줄여야겠어"라고 심각하게 말하기도 했다.

타르타르스테이크를 좀 줄여야겠다고? 내 기억이 틀리지 않다면 타르타르스테이크는 날고기다! 아이들이 생기기 전 파리에서 한 번 먹었다가 온 천지에 토사물을 뿌리고 다녔던 아픈 기억이 있다. 반면에《육아에 관한 모든 것》에서는 임신 기간 중 쌀을 먹지 말라고 했다. 그래야 건강한 아기를 낳을 확률이 극대화된다고 하는데, 그 조언을 도저히 따를 수 없었던 나는 울음까지 터뜨렸다. 흰쌀은 당시 내가 게워내지 않고 먹을 수 있는 몇 안 되는 음식 중 하나였던 것이다. 멀리해야 할 음식으로 배를 채우는 내가 어찌나 한심해 보이던지….

그런데 내 프랑스인 친구들과 이야기를 나눠보니 일반적인 프랑스 산부인과 의사들에 비하면 코엔 박사는 '불안 조장 세력'에 가까울 정도였다. 요즘은 프랑스어로 된 임신 출산 서적에도 음주와 흡연에 관한 경고가 등장하지만, 산부인과 진료실에서 제공되는 조언은 예전과 별반 차이가 없다. 임신 중 음주에 대해 묻는 나에게 몇몇 프랑스 임신부는 다음과 같이 답했다.

"의사가 와인은 식사 때 한 잔, 커피는 하루에 두 잔만 마시래. 담배는 안 피우면 좋은데 꼭 피우고 싶으면 하루 세 개비로 제한하라고 하네. 그래서 담배는 안 피워, 거의…."

"의사가 뭐든지 먹어도 되는데 와인은 하루에 한 잔만 마시래."

"내 산부인과 의사는 굉장히 엄격해. 절대 빈속에 술 마시지 말래. 와인을 마실 땐 꼭 음식도 함께 먹으래."

프랑스 여성들이 의사에게 듣는 금기는 다 이런 식이었다. 그녀들이 운이 좋아서 관대한 의사만 만났을 수도 있지만, 임신부에게 하루 술 한 잔을 허락하는 미국인 의사는 여태까지 본 적이 없다. 예전에 내 산부인과 의사가 술을 석 잔은 마셔도 된다고 하기에 깜짝 놀라 재차 물었더니, 임신 기간을 통틀어 석 잔은 마셔도 된다는 뜻이란다. 그러면서 "결혼기념일에 샴페인 한 잔, 생일에 와인 한 잔, 그리고 휴가 때 한 잔. 그 정도는 괜찮아요"라고 했다. 황송할 노릇이다.

영국 의사들은 미국처럼 엄격하지는 않지만 정해진 지침을 따른다. 영국 국민보건서비스NHS, National Health Service 당국은 혼란스러워하는 예비 엄마들에게 음주를 완전히 금하는 대신 '일주일에 한두 번, 한두 잔 정도'는 괜찮다고 조언한다.

이론적으로는 프랑스도 우리와 크게 다르지 않다. 2007년부터 임신 중 음주는 태아에게 악영향을 줄 수 있다는 문구를 모든 술병에 부착하도록 의무화했다. 하지만 앞서 말했듯 현실은 다르다. 아마 많은 사람의 지적대로 프랑스어 경고 문구가 손톱만 하기 때문일지도 모른다.

아무튼 와인을 간혹 한 잔씩 할 수만 있었어도 임신 중 내 심리 상태는 사뭇 달랐을 것이다. 어김없이 극심한 입덧과 함께 시작한 하루가 마침내 저물었다는 안도감을 얻고, 임신 중 생긴 팔목 터널증후군 통증도 덜 수 있었을 것이다. 하루에 한 잔, 못해도 일주일에 한 잔씩 식탁에 와인을 올려놓을 수 있었다면 강아지를 걷어차는 횟수도 훨씬 줄었을지 모른다(오해의 소지가 있어서 덧붙인다. "얘들아, 엄마가 강아지를 정말로 걷어찬 적은 없어!").

나는 의사도 아니고 의학적 지식도 없으니 여기서 어느 한쪽을 편들 생각은 없다. 다만 경험을 통해 아일랜드인의 관점 역시 미국인보다 프랑스인에 더 가깝다는 사실을 확인한 바 있다. 임신 7~8개월째에 더블린에서 친구 몇 명이 찾아왔다. 이들이 뉴욕에 사는 아일랜드 출신 친구들을 더 불러모았고, 우리는 모두 바에 자리를 잡았다. 그 자리에서 적어도 여섯 번은 이런 말을 들었다. "캐서린! 오랜만에 보니까 정말 반갑다. 내가 한잔 살게." 앉아 있어서 잘 안 보이나 싶어, 나는 불룩한 배를 가리키면서 사양했다. 그러자 이런 답이 돌아왔다. "아, 그렇구나. 그럼 맥주만 마셔." 그렇다고 아일랜드 사람들의 의견을 바탕으로 임신 중 음주 여부를 결정하지는 말기 바란다. 미국에서 임신 기간을 보낼 경우 부른 배를 끌어안고 술잔을 입에 댔다가는 지나가는 사람들에게 얻어맞을지도 모르기 때문이다.

최근에 들은 얘기인데, 한 미국인 여의사가 작은 잔에 와인을 따라 마시는 임신부를 보고 이렇게 쏘아붙였다고 한다. "음, 좋겠네요. 방금 아기에게 태아 알코올증후군을 선물했으니 이제 평생 그 죄책감을 안고 사시면 되겠어요."

이 미국인 의사야말로 레드 와인 한 잔이 절실히 필요한 사람이다. 이 의사가 임신부에게 준 스트레스는 와인보다 타격이 훨씬 크다. '깨어나 보니 나폴리 해변 어느 낯선 남자의 침대더라' 할 정도로 퍼마시라는 뜻은 아니다(물론 나폴리 해변 어느 낯선 남자의 침대도 그다지 나쁜 생각은 아니다). 그저 지나치게 금욕적인 태도를 취할 필요는 없다는 뜻이다. 최소한 술잔을 들고 있는 임신부를 미치광이 취급하는 분위기만이라도 없어져야 한다.

언젠가 적정량의 레드 와인이 아기의 두뇌 발달에 이롭다는 주장을 접한 적도 있다. 얼마나 신빙성이 있는지는 모르겠지만 어쨌든 눈길이 간다. 프랑스 엄마들이 임신 중 접했던 전문의의 조언이나 출산 서적 내용에 대해 들어보면, 프랑스와 미국은 출발점부터 완전히 다르다. 미국은 태아 중심적이다. 태아의 건강이 중요하긴 하지만, 관심이 쏠릴 수밖에 없지만, 좀 지나치다 싶게 집착하는 경향이 있다. 첫 임신 초기에 남편과 나는 곧장 방어 태세에 돌입했다. 수돗물도 의심! 페인트도 의심! 플라스틱 식기는 다 갖다 버리고! 도우미는 심층 검토! 비타민도 심층 검토! 갑각류, 조개류는 먹지 말고! 선반도 다 없애고! 꼽자면 한이 없다.

프랑스인도 임신하면 아기 맞을 준비를 한다. 그러나 거기에 온통 매몰되지는 않는다. 임신과 육아 분야에서 가장 유명한 프랑스 저자는 아마 로랑스 페르누Laurence Pernoud일 것이다. 그녀의 책《세상에서 가장 많은 부모들이 보는 임신 출산J'attends un enfant》과《세상에서 가장 많은 부모들이 보는 육아J'eleve mon enfant》는 프랑스에서만 수천만 권이 팔렸다.

조르주 페르누 파리마치 편집장의 아내인 저자는 35세에 처음 임신을 하고 나서 자신의 궁금증을 풀어줄 책을 도무지 찾지 못해 임신과 육아에 관한 책을 쓰기로 결심했다고 한다. 그녀와 같은 궁금증을 품은 여성들은 한둘이 아니었던 듯하다. 1956년《세상에서 가장 많은 부모들이 보는 임신 출산》초판이 나온 뒤로 수많은 프랑스 여성들이 이 책을 집어들었다. 그녀가 쓴 책 두 권은 모두 한 번도 절판된 적이 없다. 수차례 개정과 증보는 거쳤지만 기본 토대, 특히 임신 중에도 외모를 가꿔라, 신선한 버터를 먹어라, 가슴을 탱탱하게 유지해라 등과 같은 내용은 바뀌지 않았다. 모두 가슴에 새겨야 할 지침이다. 페르누의 출판사는 지속적으로 개정판을 내고 있다. 당연히 어느 서점에 가든 그녀의 책이 넘쳐난다. 반면 미국은 사정이 다르다. 그녀의 책을 찾아보기란 불가능에 가깝다. 그럼에도 나는《세상에서 가장 많은 부모들이 보는 육아》 2002년 판을 손에 넣는 데 성공했다. 페르누는 이 책에서 임신 후에도 '요부 기질'을 잃지 말아야 하며 정기적으로 외모에 투자를 해야 정신 건강에 좋다고 강조한다.

가슴을 탱탱하게 유지하라는 조언은 또 어떤가? 페르누는 탄력 있는 가슴의 중요성을 지속적으로 상기시킨다. 아이들이 젖을 뗐을 때, 나는 모유로 아이 둘 이상을 키운 엄마들에게 정부 차원에서 가슴 보정 수술을 무상 제공해야 한다고 생각했다. 통계적으로도 탱탱한 가슴은 이혼율을 낮추는 데 기여한다고 하니, 장기적으로 보면 국가 경제 발전에 분명 일조할 것이다. 페르누가 대통령이었다면 가슴 보정 수술 정책을 시행했을지도 모른다. 안타깝게도 그녀는 미국에서 태어나지 않아 그렇게 높은 자리까지 오르지 못했다. 게다가 2009년에 세상을 떠났다. 어쨌든 이런 정책은 미국 의회에서 절대 상정되지 않을 의안이다. 당시에 페르누의 조언을 좀 더 귀담아 듣지 않아 후회스러울 뿐이다. 너무나 당연한 말이었는데도 나는 임신했을 때 배 속 아기에게 집중하느라 정작 내 외모에는 신경 쓸 생각도 하지 못했다.

페르누는 〈가슴 돌보기〉라는 장에서 적절한 가슴근육 운동을 통해 어떻게 하면 가슴을 탱탱하게, 최소한 처지지 않게 유지할 수 있는지 알려준다. 그런데 임신 중 나에게는 케겔 운동을 하라는 충고만 쇄도했다. 케겔 운동은 아널드 케겔 박사Dr. Arnold Kegel가 고안한 골반 근육 운동이다. 골반 뼈에 붙어 있는 골반 근육은 마치 그물침대처럼 골반 안의 장기를 받쳐주며 주로 소변의 흐름을 조절하는 역할을 한다. 남자는 케겔 운동을 통해 사정 조절 능력을 향상시킬 수 있으며, 여자는 골반 근육이 튼튼해져 출산에 도움이 되고 질 조임이 좋아진다고 한다.

아무도 내게 가슴 탄력에 신경 쓰라는 말을 하지 않았다. 나는 두 아이 모두 제왕절개수술로 낳았기 때문에 케겔은 아무 소용이 없었다. 페르누는 가슴을 탱탱하게 해주는 운동법을 소개할 뿐만 아니라 어깨를 약간 젖힌 듯 꼿꼿한 자세를 유지하라고 강조한다. 그래야 가슴이 탄탄해 보이고 척추 통증도 줄어든다는 것이다. 남편과 나, 그리고 내 가슴은 모두 한마음으로 페르누에게 감사하고 있다.

아기뿐 아니라 엄마도 배려하는 페르누의 관점은 신선하다. 프랑스 아기 엄마들이 우리 동네를 배회하는 엄마들보다 스트레스도 덜 받고 덜 혼란스러워하는 이유 역시 아마 그런 관점 덕분일 것이다. 내가 프랑스 엄마들을 유심히 관찰하며 얻게 된 확실한 결론은 프랑스인들이 스스로를 가꾸고 돌보는 데 있어 전문가 수준이며, 아이가 자라면서 엄마의 손길을 점점 더 필요로 하게 되어도 변함이 없다는 것이었다.

결론을 너무 일찍 말해버린 듯하다. 페르누의 조언은 탄력 있는 가슴 만들기에서 끝나지 않는다. 그녀는 책의 상당 부분을 '외모 가꾸기'에 할애한다. 예전에 읽었던 미국 저자의 임신 지침서에서는 임신 중 매니큐어 바르기가 무모한 행동이라 비난하고 있었다. 그래서 내가 두 차례 임신을 거치며 찍은 사진을 보면 대부분 우울하고 심신이 모두 흐트러진 모습이다. 반면 프랑스 임신부들은 화장법과 옷 입는 법을 따로 배운다.

물론 20세기 초에 태어난 여성으로부터 패션 관련 조언을 구할 생각은 나도 없다. 내 요점은 따로 있다. 페르누의 임신 서적은 미국 임신부들을 그 모든 걱정과 압박으로부터 벗어나게 해줄 돌파구가 분명히 있음을 알려준다. 프랑스 임신부들에게 부러운 점은 또 있다. 어느 모임에 가든 내가 꼭 화제에 올리는 사실이다. 프랑스 여성들은 출산 뒤 골반저 근육 교정 트레이닝을 10회 무료로 받을 수 있고, 배를 임신 전 상태로 되돌리는 복부 테라피를 무료로 받을 수 있다고 한다.

그렇다. 프랑스는 자국 산모들에게 세심하게 신경을 쓴다. 내 미국인 친구 라모나는 운 좋게도 프랑스로 이주한 직후 애가 들어섰다. 배가 불러오기 시작하면서 그녀는 프랑스 여성들로부터 임신부의 자유를 왜 누리지 않냐는 힐난을 여러 차례 받았다고 한다. 즉, '임신이라는 카드'를 십분 활용하라는 것이었다. 파리의 한 백화점에서 옷을 입어보려고 피팅룸 앞에 줄을 서 있다가 일장연설을 듣기도 했다. 한 나이 지긋한 프랑스 여성이 "왜 줄을 서 있어요? 임신했잖아요! 맨 앞으로 가야죠! 댁의 권리예요! 법에도 그렇게 돼 있어요!"라고 다그쳤다는 것이다. 라모나는 그제야 임신부인 자신이 줄을 서서 기다림으로써 사람들의 질서 체계에 혼란을 일으켰음을 깨달았다. 그때부터는 열심히 프랑스 방식을 따랐다고 한다. 라모나는 내게 보낸 편지에서 흥분한 어투로 이렇게 말했다. "정말 끝내줘. 내 임신 카드 유효 기간이 이제 넉 달밖에 안 남았는데, 젠장. 마지막까지 최대한 써먹을 거야. 남들은 구매 수량이 일곱 개로 제한된 품목을 열두 개나 사도 뭐라 하지 않고, 백화점에서 제일 큰 피팅룸은 내 차지야. 언제든지 44 사이즈 계집애들 따윈 밀쳐내고 줄 맨 앞으로 갈 수 있어. 난 임신부니까!"

나는 만삭의 몸으로 뉴욕의 만원 지하철에 올라탔다가 아무도 자리를 양보하지 않아 울었던 적이 있다. 퇴근길 지하철에서 구역질은 치밀어 오르는데 앉을 좌석 하나 없어 전 인류를 싸잡아 비난했던 기억이 난다. 당시 나는 누구라도 알아볼 수 있을 만큼 배가 불룩했고, 속이 메슥거려 얼굴은 창백하게 질려 있었다. 그런데도 아무도 나와 시선조차 맞추지 않았다. 뉴욕만 그런 줄 알았는데 아니었다. 노스캐롤라이나의 채플힐부터 런던의 노팅힐까지, 영어권 곳곳에 흩어져 사는 친구들의 이야기를 들어보니 배가 산처럼 부풀어 올라도 나처럼 별다른 대접을 받지 못했다고 했다.

미국에서 임신이 가져다주는 최대 특전은 베이비샤워(임신부의 친구들이 출산 전 아기용품을 선물하는 파티. 받고 싶은 물품 목록을 온라인이나 오프라인 매장에 등록해놓으면 친구들이 확인하고 각자 예산에 맞게 하나씩 구입하여 선물한다-옮긴이) 정도다. 베이비샤워나 벌여야 축하도 받고 선물도 받는다는 말이다! 나름 파티라고 무알코올 펀치도 마실 수 있게 해준다. 프랑스인들은 이런 미국의 관습을 그다지 높게 평가하지 않는다. 내 친구 제시의 경우를 보자. 프랑스에서 태어났고 캘리포니아에서 청소년기를 보낸 뒤 성인이 되어 프랑스로 돌아갔다. 제시는 첫아이를 임신했을 때 프랑스 친구들에게 베이비샤워를 어떻게 해야 할지 물었다가 눈총만 잔뜩 받았다. 프랑스인들은 태어나지도 않은 아기를 내세워 선물을 긁어모으는 베이비샤워가 천박하기 그지없는 관습이라 생각하고 있었다. 베이비샤워가 없다는 사실은 미국에 비해 프랑스의 출산 준비물이 훨씬 단출하다는 뜻도 된다. 프랑스의 출산 준비물 목록을 본 적이 있는데 내가 시장 갈 때 들고 가는 쇼핑 목록보다 짧았다.

미국에서 임신 중 준비해둬야 한다는 물품 목록을 처음 봤을 때 적군의 전면공격을 홀로 막아내야 하는 병사가 된 듯 아찔했던 기억이 난다. 패닉에 빠질까 두려워서 황급히 아기용품 전문 매장에서 빠져나온 적도 있었다. 그 아기용품을 다 장만했다가는 아기용품 보관용 아파트가 한 채 더 필요할 것 같았다. 나는 그런 압박에 절대 굴하지 않으리라 다짐했건만, 어쩔 수 없었다. 나도 고급 유모차, 여행용 접이식 유모차, 어떤 지형에서든 굴릴 수 있는 세 바퀴짜리 유모차 등 유모차만 석 대를 구입했다. 여기에 신생아용 요람, 바구니 모양 요람, 접어서 휴대할 수 있는 요람인 팩앤플레이, 코슬리퍼(어른 침대와 높이가 비슷하고 옆 난간을 젖힐 수 있어 엄마가 누워서도 아기를 돌보기 쉬운 요람-옮긴이)도 준비했다. 더 있다. 유아용 침대, 아기용 그네, 아기용 장난감이 달린 엑서소서, 놀이용 매트, 문틀에 매다는 그네, 아기 띠, 아기용 포대, 사용법을 익히려면 마야 문명을 연구한 전문가의 도움이 필요할 것만 같은 마야 랩, 아기 담요 열일곱 장을 준비했다. 심지어 아기 항문용 물티슈 보온기와 폐쇄회로 모니터까지 마련

했다.

항문용 물티슈 보온기를 모르는 축복받은 이들을 위해 설명을 덧붙이자면, 용도는 이름 그대로다. 항문을 닦는 물티슈가 너무 차가워 아기가 놀라거나 심기가 불편해지지 않도록 일정한 온도까지 데워주는 역할을 하는 제품이다. 끝없는 혁신이 항상 긍정적인 결과로 이어지지는 않는다는 점을 잘 보여주는 사례다.

우리가 무차별적으로 섭취하는 인스턴트식품 때문인지 아니면 호르몬제 때문인지 모르겠지만, 미국인의 두뇌는 번식에 관한 한 정상이 아니다. 물욕이 한도 끝도 없이 솟구친다. 내 막내 남동생 벤Ben은 내가 아는 사람 중 가장 검소하다. 휴대전화를 하나만 사서 아내와 함께 썼을 정도다. 그것도 무려 5년 동안! 절대 돈이 없기 때문이 아니라, 단지 물이든 돈이든 통신 수단이든 낭비를 싫어하기 때문이다. 아마 벤은 지금도 신발이 두 켤레뿐일 텐데, 그중 한 켤레는 슬리퍼다. 쉽게 말해, 벤은 구두쇠다. 그러던 중 올케가 첫아이를 임신했다. 벤이 이메일로 600달러짜리 유모차를 샀다는 소식을 전했을 때 나는 그야말로 사자후를 토해냈다. 우리 중 가장 심지가 굳었던 사람도 아이가 생기자 무너져버린 것이다. 아기가 태어난 이후에는 더 말할 필요도 없었다. 아이가 자랄수록 벤의 상태는 점점 심각해지고 있다.

그럼 여기서 페르누의 간결한 목록과 대비를 이루는 미국 임신부들을 겨냥한 아기용품 리스트를 살펴보자. 이미 이 고문을 당했던 독자들에게는 옛 상처를 헤집는 데 대해 심심한 사과를 전한다. 아직 경험 전이라면 일단 뭐라도 찾아 먹고, 쿠션에 기대어 최대한 충격을 완화하기를 권유한다. 그럼 시작한다.

● 미국인들이 준비하는 아기용품

유축기, 모유 보관 팩 여러 개, 넉넉한 크기의 속싸개 세 장, 유아용 자동차 시트, 차가 두 대 이상일 경우 여분의 유아용 자동차 시트 고정기, 카시트 겸용 유모차, 신생아용 침대, 신생아용 요람이 포함된 팩앤플레이, 그냥 팩앤플레이, 팩앤플레이 시트, 아기띠, 프론트 캐리어, 그네, 아기용 흔들의자, 유아용 욕조, 기저귀 가방, 수유 쿠션, C 자형 아기용 쿠션, 아기 관찰용 모니터, 유아용 침대, 별도의 유아용 침대 매트리스, 유아용 침대 시트 세 세트, 유아용 범퍼 침대, 유아용 침대 위에 달 모빌 장난감, 기저귀 갈이대 위에 달 모빌 장난감, 여분의 기저귀 갈이대 패드, 기저귀 갈이대 패드 덮개, 두툼하고 큰 목욕 수건 두 장, 자동차 유리창 햇빛 가리개, 젖병 건조대, 젖병 부품 보관용기, 수유용 안락의자, 기저귀 갈이대와 서랍장, 장난감, 손톱깎이, 디지털 온도계, 그냥 목욕용 수건, 트림 수건, 베이비 타이레놀, 아기용 젖니 통증 완화 크림, 아기용 소화제, 영아 진통제, 베이비 샴푸와 보디 워시, 기저귀 발진 연고, 손 소독제, 클립이나 끈이 달린 고무젖꼭지, 초대형 패드, 일회용 수유 패드, 유두 보호 크림, 신생아용 기저귀 한 팩, 기저귀 쓰레기통, 기저귀 쓰레기통에 씌우는 비닐봉지, 천 기저귀 세탁 서비스, 리필 가능한 항문용 물티슈, 항문용 물티슈 보온기, 분유, 분유 디스펜서, 젖병 닦는 솔, 두 가지 크기의 젖병, 유아 식

사용 의자, 자동차에 부착할 유아용 보조 의자, 아기가 일어나 앉을
수 있게 될 때를 대비한 튼튼한 유모차, 아기용 식기, 아기용 턱받이,
여러 가지 장난감이 부착된 아기용 탁자, 엑서소서

● 옷 종류
유아용 가운 서너 벌, 보디수트 또는 아래위가 연결된 옷 일고여덟
벌, 언더셔츠 또는 러닝셔츠 일고여덟 벌, 아래위가 연결된 파자마 일
고여덟 벌, 우주복 두 벌, 스웨터 또는 재킷 두세 벌, 외출복 두세 벌,
양말 또는 양말 겸 신발 예닐곱 켤레, 모자 대여섯 개, 장갑, 점프수트,
플리스 수트

　단언하건데, 내가 혼자 생각해낸 품목만으로 이 목록을 채우지
는 않았다. 내 임신 경험에만 의존할 수는 없기 때문에 출산을 앞둔
수많은 미국 여성들의 확인을 거쳤다. 오늘날 예비 부모들이 베이비
샤워에서 받고 싶다며 실제 등록하고 있는 아기용품들을 나름 정리
한 것이다. 장난감은 그냥 '장난감'으로 뭉뚱그렸고, 청소 서비스 같
이 너무 우스꽝스러운 몇몇 품목은 일부러 뺐다. 같은 미국인으로서
너무 낯부끄러워서 말이다. 하지만 대략 감은 오지 않는가? 이건 거
의 강박증 수준이다! 목록이 짧을수록 효율적이란 말을 하지는 않겠
다. 사실이 아니니까. 목록이 짧으면 그만큼 출산 준비물이 줄어든
다. 내 말은 준비물이 적어도 아기를 낳아 기르는 데 큰 지장이 없다
는 뜻이다.

그런데 이렇게 집 안을 아기용품으로 채우는 관행이 대서양을 가로질러 영국에도 확산되고 있는 듯해 염려스럽다. 한 번 빠지면 헤어나기 어려운 수렁이다.

시간이 남아돌아 주체하지 못할 정도가 아니라면 '베이비 샤워 선물 등록'이란 검색어로 인터넷 서핑을 하지는 말기를 바란다. 멋모르는 예비 엄마 아빠들에게 이거 사라, 저거 사라 부추기는 사이트만 끝도 없이 나열되고, 젖병, 아기용 침대 시트, 유기농 분유 브랜드부터 두뇌 개발에 좋다는 모빌을 놓고 고민을 거듭하는 예비 부모의 글이 수없이 올라온다. 인터넷에 차고 넘치는 정보는 대부분 쓸데없다. 자궁에 아이를 넣고 다니기만 해도 힘든데 정말이지 너무 너무 많은 아기용품을 있는 대로 확보해야 한다는 고민까지 떠안게 되기 때문이다. 출산을 앞둔 부모에게 필요한 물건을 선물한다는 취지는 나쁘지 않지만, 그 과정에서 패닉에 가까운 불안감이 조성되는 부작용이 생겨났다.

브르타뉴 출신 친구인 발레리는 정부의 각종 노력 덕택에 프랑스 여성들이 임신 기간을 무사히 견뎌낼 뿐만 아니라 심지어 즐기는 수준이라고 말했다. 물론 미국 엄마 중에서도 임신을 즐기는 사람이 분명 있겠지만 나는 아니었다. 발레리의 말을 옮기면 다음과 같다.

"이곳에서는 정부가 개개인의 복지에 세심하게 신경을 쓰고 있어. 일단 임신부들은 누구나 임신 4개월째부터 매달 보조비로 150유로를 지급받아. 임신 중 매달 한 번 산부인과 진료를 받으면 보조금이 나오지. 산부인과 진료는 임신 기간 내내 무료야. 입원을 하면 일주일까지 무상으로 보조해주고. 아이가 둘 이상인 경우, 이 보조금은 아이가 18세 되는 해까지 지급해줘. 엄마가 얼마를 벌든 상관없어. 또 첫아이의 경우 법적으로 유급 육아 휴직 기간이 16주로 보장되어 있고, 둘째 아이부터는 기간이 더 늘어나. 나는 큰애가 열일곱, 작은 애가 열넷이라서 아직 다달이 보조금을 받고 있어. 그런데 베이비샤 워까지 한다면 너무 과하지."

두 손 두 발 다 들었다.

브래드 피트와 안젤리나 졸리 부부도 2008년 프랑스 남부의 대저택 '샤토 미라바'로 이주하면서 이런 수당을 받을 자격이 생겼다. 재산 규모와 상관없이 아이가 있으면 누구나 누릴 수 있는 혜택이다. 한 연예 뉴스 사이트가 전한 바에 따르면 브래드와 안젤리나가 실제로 돈을 수령할 가능성은 별로 없지만, 규정상 월 975.84달러의 육아 수당을 받을 수 있고, 입양아 한 명당 508.97달러의 입양 수당을 받을 수 있다고 한다. 즉, 아이를 셋 입양했으니 두 사람이 마음만 먹으면 월 2592.81달러를 지급받을 수 있는 것이다. 안젤리나 졸리가 육아 수당을 받는다고 생각해보라! 브래드 피트에다 프랑스에 성까지 가지고 있는 여자가! 그래, 나 질투에 눈이 멀었다.

안젤리나 졸리까지 수당을 받을 수 있는 프랑스가 아니라 미국에서 아이를 낳아야 하는 우리는 당연히 근심이 많다. 나도 끔찍하게 무서웠다. 수시로 속옷에 오줌을 지렸던 이유가 방광에 가해진 압박 때문만은 아니었다. 생각지도 못한 일이 발생할까 두려웠기 때문이었다. '출산 시 사용할 진통제나 분만실에 함께 들어갈 사람이 적힌 출산 계획서를 잊고 안 가져가면 어떡하지? 병원에서 약을 주면 어떡하지? 약을 안 주면 어떡하지? 수중 분만을 해야 하나? 그랬다가 아기가 익사하면 어떡하지? 걱정은 끝이 없었다. 여기에 아기가 태어난 뒤에 대한 고민까지 이어졌다. 나를 비롯하여 미국의 수많은 예비 엄마들이 이렇게 스스로를 고문하는 데 에너지를 소모하고 있었다. 이런 걱정이 보편화되면서 급기야 미국 예비 엄마들은 아기가 태어난 뒤 가족과 친구들이 따라야 하는 '행동 지침'까지 만들기에 이르렀다. 나는 어느 예비 엄마의 블로그를 읽다가 주먹이 부르르 떨리기도 했다. 방문 전 방문자가 써야 하는 항균 제품부터 자신과 신생아에게 해도 될 말, 해서는 안 될 말까지 시시콜콜 정리해놓은 그 글은 엄마의 불안정한 정서를 그대로 드러내고 있었다.

몇 주 뒤면 첫아이를 출산하는 이 불쌍한 엄마는 이미 상처가 깊이실 대로 깊어져 있었다. 유두 크림 따위로 해결이 가능한 수준이 아니었다. 아이가 세균에 공격당하면 어쩌나, 수유는 어떻게 해야 하나, 혹시 아이가 이상하게 생겼으면 어쩌나 등등 걱정을 사서 하다 보니 심리 상태가 극도로 불안해져 출산 준비 과정의 즐거움을 스스로 완벽하게 차단해버렸다.

여기서 다시 한 번 내가 좋아하는 페르누의 조언을 들어보자. 그녀는 저서 《세상에서 가장 많은 부모들이 보는 임신 출산》에서 이미 아기를 낳아본 친구와는 절대 임신과 출산에 대해 이야기하지 말라고 충고한다. 그런 얘기는 의사와 하라는 것이다. 이 조언에 전적으로 동의하진 않지만, 어느 정도 일리는 있다고 본다. 엄마가 된 친구들과 얘기하다 보면 때때로 우리가 서로를 겁주기 위해 만나고 있는 것 같다. 우나가 터미 타임상체 힘이 발달하도록 아기를 일부러 엎어놓는 시간을 별로 좋아하지 않는다고 했더니 그러면 주변 시력이 나빠진다는 경고를 듣기도 했다. 한 친구가 어디선가 그런 내용을 읽었다고 해서 나는 패닉 상태에 빠졌다. 그러다 코엔 박사의 책을 접한 뒤에야 비로소 진정이 됐다. 코엔 박사는 아기가 엎드린 자세를 싫어할 수밖에 없다고 말한다. 유아 돌연사증후군을 피하려는 본능적 반응이란 것이다. 그러면서 차분하게 이런 조언을 했다. "아기 몸에서 특정 근육을 강화할 필요는 없으니 아기의 개인 트레이너처럼 굴지 말기를 바란다. 터미 타임에 시간을 낭비하지 말고 차라리 아기 배를 간질이며 웃게 해주면 저절로 근육 운동이 될 수도 있겠다." 나는 밤새 뒤척이며 근심하던 나날에 그렇게 종지부를 찍었다.

공포와 스릴을 체험하고 싶다면 2억 5,000만 달러 규모의 산업으로 성장한 제대혈 논란이 제격이다. 듣기만 해도 등골이 오싹해지는 부모가 적지 않을 것이다. 나도 임신 사실이 알려지자마자 제대혈 보관에 관한 온갖 광고물과 이메일에 시달리기 시작했다. 제대혈 은행들은 온갖 정보를 다 들이대며 무차별적으로 압박을 가했다. 부모가 지금 제대혈을 추출해서 보관해두지 않으면 아이가 혹여 제대혈로 치료 가능할지도 모를 나쁜 병에 걸렸을 때 부모 때문에 불행한 결말을 맞게 될 수도 있다며 대놓고 협박했다. 이런 식으로 공포와 죄책감을 조장하기 때문에 부모로서는 미치기 직전까지 갈등을 계속할 수밖에 없다. 내가 그랬기 때문에 누구보다 잘 안다. 제대혈 은행 비용을 감당할 형편은 안 됐지만, 순진무구한 내 아기의 제대혈을 얼려 놓지 않는 악독한 괴물 엄마는 되고 싶지 않았다. 더욱이 제대혈 은행 전단지를 볼 때마다 백혈병, 소아마비, 통풍, 치질, 만곡족^{기형으로} _{굽은 발} 등 세상에 존재하는 모든 병이 내 아이를 덮칠지 모른다는 두려움이 솟구쳤다. 그러나 우리 부부는 결국 제대혈 은행에 가지 않았다. 임신한 친구가 신경쇠약 상태로 찾아와 제대혈 보관 문제를 상의할 때면 무슨 얘기를 해줘야 할지 몰랐다. 프랑스에서는 질병 위험이 입증되지 않은 일반인을 겨냥한 사설 제대혈 은행이 불법이며, 프랑스 임신부들은 결코 이 문제로 걱정하지 않는다는 사실을 알기 전까지 그랬다.

프랑스인들은 제대혈을 국가적 자산으로 여긴다. 그래서 부모들에게 제대혈을 공립 제대혈 은행에 보관하라고 권장한다. 하지만 보관된 혈액과 세포가 훗날 아이의 질병 치료에 얼마나 효과가 있는지는 아직 확실히 밝혀지지 않았다.

임신 중 프랑스 방식에 좀 더 관심을 가졌다면 나는 매사에 훨씬 차분할 수 있었을 것이다. 프랑스 방식은 간단명료하다. 프랑스 방식이 입력된 상태로 시간을 되돌려 임신 시절로 돌아갈 수 있다면 좋겠다. 임신 기간 중 페르누가 추천한 그뤼예르 치즈를 마음껏 먹고 있는 나, 처진 가슴을 올리기 위해 푸시업 브라를 걸칠 필요가 없는 나를 상상하곤 한다.

나는 고등학교 1학년 때 〈지붕 위의 바이올린Fiddler on the Roof〉이라는 연극에 출연한 이래 연기라고는 해본 적이 없지만, 배우라는 직업을 택했다면 메소드 연기의 대가로 우뚝 섰을 것이다. 프랑스인 역할에 도전해보고 내린 결론이다.

감정을 제대로 살리기 위해 나는 '달링'이나 '스위티' 같은 애칭을 프랑스 말로 대체하기 시작했다. 순전히 내 생각일 수 있지만, 프랑스어 애칭이 무슨 말이든 달콤하게 바꿔주는 것 같았기 때문이다. "식탁에 앉아서 없는 것 찾지 마, 몽 프티 슈Mon petit chou, 직역하면 '작은 양배추'로 귀염둥이라는 의미. 이거 다 먹을 때까지 자리에서 일어나면 안 돼."

그 결과가 궁금하다면 직접 시도해보기 바란다.

Chapter 3

병사는
사령관 하기 나름

병사는
사령관 하기 나름

여기저기서 이런 질문이 들려오는 듯하다. 그렇게 느긋하다는 프랑스인들이 어떻게 그토록 고분고분한 아이들을 키워내고 있을까?

브루클린의 프랑스 아이들도 말을 잘 듣지만 프랑스 본토 아이들은 그보다 한 수 위다. 최근 파리에 갔을 때 프랑스 아이들을 관찰하겠다고 찾아다녀봤지만 눈에 잘 띄지 않아 다시 한 번 충격을 받았다. 꼬마 시민들이 워낙 조용했기 때문이다. 지하철 안에서도 아이들이 너무 얌전히 앉아 있어 놀랐던 기억이 난다. 꼼지락거리거나 장난감, 과자를 달라고 조르지도 않았다. 박물관에서도 마찬가지였다. 어쩌다 심통 부리는 아이를 보기는 했는데 어김없이 영국이나 미국 아이였지 프랑스 아이는 아니었다. 슈퍼마켓에 가면 분명히 프랑스 아이들의 본색이 드러나리라 생각했다. 선반마다 가득 찬 황홀한 유혹을 뿌리칠 수 있는 아이가 과연 있을까? 한데 프랑스 아이들은 뿌리쳤다. 레스토랑에서는? 아이들에게 방해받지 않고 행복하게 식사를 하는 프랑스 부모들을 보면 질투에 눈이 뒤집혀 스테이크 나이프로 찌르고 싶은 충동에 사로잡힐지도 모른다.

도대체 비결이 뭘까? 프랑스 부모들은 아이를 어떻게 키우기에 그토록 말을 잘 들을까?

그 답을 한마디로 정리할 수는 없지만, 아무튼 아이들의 심리에 부모의 태도가 큰 영향을 미쳤다는 사실은 분명하다. 일단 프랑스 부모 다수가 프랑스에는 '미운 두 살'이라는 개념 자체가 없다고 확인해주었다. 미국과 영국 부모들은 그저 견뎌야 한다고 생각하는 그 시기가 아예 없다니….

그렇다. 다시 말하지만 '미운 두 살' 따위는 없다! 처음엔 내 취재원들이 뭘 잘 몰라서 그러려니 했다. 하지만 만나는 사람마다 같은 반응이었다. 심지어 몇몇 프랑스 친구에게는 '미운 두 살'이 무슨 뜻인지 설명해줘야 했다. 그중 폴은 내가 미운 두 살을 설명해주자 "정말? 아이들이 그런다고? 난 듣지도 보지도 못했는데!"라며 놀라워했다. 마침 그때 폴은 우리 집 아이들을 데리고 복숭아 타르트를 만들고 있었다.

나는 아기를 낳기도 전부터 미운 두 살에 대해 학습이 되어 있었다. 읽는 책마다 이 '성장 단계의 불가피함'을 경고하고 있었고, 어떤 책은 여기에 무시무시한 과학 용어까지 동원했기 때문이다. 평생 두

뇌 기능을 연구한 정신분석학자인 시아버지마저 배 속의 아기가 두 살이 되면 겪게 될 '화학적 세뇌 작용'에 대해 상세히 설명하면서 불안감을 가중시켰다. 화학적 세뇌 작용이란 아기의 뇌가 갑자기 성장하면서 뇌신경 연결에 문제가 생겨 발생하는 호르몬 이상 현상이라고 했다. 어떤 설명이든 100% 이해는 불가능했다. 그저 걱정거리가 늘어난다는 사실만 명확했을 뿐이다. 그래서 대프니와 우나가 미운 두 살로 접어들었을 때 나는 필연적 운명으로 받아들였다. 어떻게 자연과 맞서 싸울 수 있겠나? 감내해야 한다고 믿었다. 이제 와 생각하니 그렇다면 '혼란스런 세 살'과 '무서운 네 살'은 대체 뭔가 싶다.

다시 프랑스 부모들은 어떻게 하는지 그 '복잡한' 해답으로 돌아가자. 프랑스인은 아이를 키울 때 여전히 대가족 제도에 의존한다. 아기를 낳은 뒤 육아에 대해 조언을 구하는 대상이 대부분 부모나 할아버지, 할머니다. 육아 서적을 읽거나 웹사이트를 뒤지는 미국 부모와는 달라도 너무 다르다. 3대가 가까이 모여 사니 가능한 일이다. 시골로 가봐도 프랑스인은 미국인처럼 이주가 잦지 않다. 내 친구의 친구인 사이먼은 프랑스의 동쪽 끝 보주 산골에 산다. 즉, 오지에 산다는 말이다. 영국인이지만 프랑스 여성과 결혼해 수십 년째 프랑스에 거주하며 딸을 하나 키우고 있다. 사이먼에 따르면, 그 마을 사람들은 모두 가족과 떨어지려 하지 않는다고 했다. 그는 "우리 집에 오는 집배원이 8년째 같은 사람이야"라고 했다. 고향인 영국에 갈 때를 제외하면 패악 부리는 아이를 언제 봤는지 기억도 안 난다고도 했다.

들을 때마다 놀랍기만 하다.

미국은 독립의 땅이다. 기업가의 땅이기도 하다. 우리는 직장 때문에, 또 사랑과 꿈 때문에 고향을 떠나 멀리 떠돈다. 대개는 그러다 완전히 낯선 곳에 정착한다. 나만 해도 캘리포니아 출신인데 뉴욕에서 15년째 살고 있다. 미국에서 엄마들의 모임이나 블로그가 인기를 끄는 이유 중 하나는 가족의 빈자리를 채워주기 때문이다. 프랑스 부모들에게는 이런 온라인 도피처가 굳이 필요 없다.

이렇게 다른 두 접근법이 얼마나 상이한 결과를 낳았는지는 살펴볼수록 흥미롭다. 나는 4,500킬로미터나 떨어진 곳에 살고 있는 여동생에게 첫아이 출산 후 들락거리던 엄마 모임을 끊으라고 충고했다. 여동생은 모임에 다녀올 때마다 아기에 대한 새로운 걱정거리가 한 보따리 생겼다며 나에게 전화해서 한바탕 법석을 떨곤 했다. 서로 힘이 돼주기는커녕 걱정과 불안을 양산하는 인큐베이터가 되고 있었던 것이다. 물론 다 그렇진 않겠지만, 어쨌든 프랑스보다 미국에서 이런 경향이 더 뚜렷하게 나타난다.

과거 내가 비슷한 증상을 보였을 때, 남편도 나의 블로그 활동을 중단시키려고 애썼다. 두 시간쯤 블로그에 접속해 있다가 패닉에 빠져서 곤히 자는 남편을 두들겨 깨웠던 바로 그날이 기점이었던 것 같다. 우리 딸 증상이 내장암 같다는 온라인 중론 때문이었는데, 막상 확인해보니 선충에 감염되었을 뿐이었다. 프랑스인들은 문제가 발생했을 때 이 친구 저 친구에게 마구잡이로 조언을 구하거나 온라인 채팅룸에 밑밥 뿌리듯 질문을 던져놓지 않는다. 정보원을 하나로 통

일한다. 그렇게 하면 최소한 쓸데없는 불안감은 줄일 수 있다. 불안
감만 줄여도 육아가 훨씬 수월해진다. 안타깝게도 우리 미국인들은
이런 재주가 없다. 영국인들이여, 조심하라. 까딱 잘못하다가는 당신
들도 우리처럼 마음고생만 실컷 하게 되는 수가 있다.

한 프랑스인 친구에게 아이들이 못된 행동을 할 때 어떻게 대처
하는지 구체적으로 알아보려 했다. 그런데 대화 자체가 쉽지 않았다.

나 : 넌 슈퍼마켓에서 아이가 갑자기 발작하듯 울어버리면 어떻게 해?
친구 : 무슨 소리야? 애가 다치기라도 했어? 갑자기 왜 울어?
나 : 뭐, 그냥. 사겠다는 시리얼을 못 사게 하거나, 쇼핑 카트를 밀고
  싶은데 못 밀게 하거나, 여러 가지 이유로 말이야.
친구 : 잘 못 알아듣겠어. 아이가 쇼핑 카트를 밀다가 다쳐서 운다고?
나 : 아니. 자기가 하고 싶은 대로 못 하게 하니까 울면서 떼를 쓴다고.
친구 : 슈퍼마켓에서? 절대 그러지는 못하지. 프랑스인들은 그런 행동
  을 결코 용납하지 않거든.

프랑스인만 그런가? 나도 용납은 안 한다!
우리 집 아이들의 못된 행동에 대한 프랑스식 해법을 상황별로
찾기란 녹록지 않았다. 그런 못된 행동 대부분이 프랑스에는 아예 존
재하지 않기 때문이다. 가장 실질적인 해법은 처음부터 아이와 올바
른 관계를 설정하는 것이다. 아직 아이를 낳지 않았거나 아이가 아주

어리다면 특히 명심할 필요가 있다.

절대 잊지 마시라. 당신이 사령관이다! 내 육아 과정을 돌이켜 볼 때, 규율을 제대로 잡지 못한 가장 큰 이유는 아이의 개성을 존중 해야 한다는 생각 때문이었다. 아이마다 타고난 특성을 짓밟고 싶지 않았다. 이런 미국식 접근법에 분명히 장점도 많다. 하지만 미국 부 모들은 이를 너무 극단적으로 몰고 가는 우를 범했다.

프랑스에는 가족 구성원마다 각자의 역할이 있다. 부모는 사령 관이고 아이들의 임무는 그 지휘에 대한 복종이다. 프랑스 부모들은 아이의 머릿속에 이 역할 분담이 각인되도록 가르친다. 그렇게 자란 아이들은 좀처럼 대들거나 반항하지 않는다. 임신한 내 친구가 프랑 스 옷 가게에서 긴 줄을 건너뛰지 않았다고 힐난을 받은 것처럼 프랑 스 아이들은 어른에 대한 순종이 자신의 의무라고 배운다. 이런 설명 을 듣고 나도 딸들에게 같은 규칙을 적용하기 시작했다. "당장 차에 타서 안전벨트를 매. 나는 사령관이고 이건 명령이야"라는 식의 대화 법도 나름 재미가 있었다.

그런데 어처구니없게도 이런 방법이 정말 먹혀들었다. 새롭게 권력을 강화하고 규율을 다잡는 데 대해 아이들이 반발하지 않을까 걱정했는데, 막상 해보니 정반대였다. 그간 우리 집 아이들은 논쟁하 고 따지는 데 익숙해져 있었다. 내가 자신만의 의견을 발전시켜야 한 다고 가르쳤기 때문이다. 그러다 진짜 사령관이 나타나 상황을 주도 하자 오히려 홀가분한 눈치였다.

사령관 노릇이 좋기는 한데 역할을 제대로 수행하려면 훨씬 엄격해져야 하니 나로서는 죽을 맛이었다. 원래 아이들에게 '안 돼!'라고 말하는 데 소질이 없는데다, 아이들을 존중하고 감정을 배려해야 한다면서 '긍정의 힘'을 믿으라고 주장하는 사람들 때문에 헷갈렸다.

나는 딸 둘이 다 자란 뒤에 셋이 함께 카페에서 수다도 떨고, 친구처럼 지내면 좋겠다는 상상을 자주 한다. 영화에도 나오지 않는가! 진부하긴 하지만, 그래도 뿌듯할 것 같다. 내 아이들이 나를 아주 많이 좋아해주면 좋겠다. 그런데 프랑스 엄마들은 나보다 훨씬 엄한데도 딸들이 성인이 된 뒤 친밀한 관계를 유지하는 경우가 많았다. 아이들의 비위를 맞추기 위해 쩔쩔매지 않고 부모로서의 위엄을 유지하기 때문에 가능해 보였다.

한 프랑스 엄마가 알기 쉽게 부연 설명을 해줬다. "너는 아이들의 친구가 아니야. 그렇게 될 수도 없어. 엄마 역할을 제대로 하면서 훈육을 시켜야 해. 나도 하루 종일 아이를 끌어안고 있으면 좋겠지만, 그렇게 해서는 아이에게 절대 도움이 되지 않아." 나는 몇 날 며칠 대프니를 품에 끼고 지내며, 그렇게 함으로써 아이가 연쇄살인범이 될 위험만은 현저히 낮췄다고 자평하고 있던 참이었다. 그렇다. 앞서 말했듯 윌리엄 시어스 박사의 《애착 육아Attachment Parenting》를 읽고 난 뒤라 아이를 적어도 살인범으로 만들지는 말자는 것이 내 목표였다. 책대로만 하면 아이의 정서도 훨씬 안정되고 영특해진다고 했다. 또 말도 더 잘 듣고 공손하고 인성이 뛰어난 아이로 키울 수 있다고 했다. 그런데 다른 이유 때문일 수도 있겠지만, 영유아기에 쉴 틈 없이 관심과 에너지를 쏟아부었더니 칭얼대고 까다로운, 그래서 엄마를 완전히 넋 나가게 만드는 꼬마들로 자라났지 뭔가!

반면 내가 만난 프랑스 엄마들은 하나같이 아이를 엄격하게 훈육하고 자제력을 길러주는 것이 진정한 사랑의 표현이라고 입을 모았다. 그들은 육아 서적을 거의 혹은 아예 읽지 않았다고 했다. 육아 서적을 참고했다고 대답한 이들은 대부분 의사이자 정신분석학자인 프랑수아즈 돌토Francoise Dolto의 책을 읽었다고 했다. 자크 라캉Jacques Lacan의 동료이자 괴짜로 유명했던 돌토는 아이의 삶과 부모의 삶이 분리되어야 한다고 주장한 사람이다.

최근 남편의 사촌이 우리 집에 놀러 온 적이 있었는데, 정말 잠시라도 아이들과 떨어져서 어른들만의 대화를 나누며 시댁 식구들이 어떻게 지내는지 소식을 듣고 싶었다. 그런데 프랑스 스타일 따위는 안중에도 없다는 듯 사랑스런 대프니의 예전 증상이 다시 도졌고, 결국 아이를 잠자리에 눕히기 전까지 제대로 된 대화는 불가능했다. 내가 대프니를 재우느라 안간힘을 쓰는 사이 남편과 사촌은 웬만한 소식을 이미 다 공유해버렸다. 미국 아이들은 자신들이 무슨 말을 내뱉든 어른들이 일일이 귀를 기울이고 관심을 가져줘야 한다고 생각하며 자란다. 내 아이도 다를 바 없었다.

한 프랑스 아빠가 이런 말을 했다. "내 고향에선 부모가 곁을 맴돌면서 무슨 말이나 행동을 하든 다 받아주며 키우는 아이를 '앙팡 루이L'enfant roi'라고 불러. 아기 군주라는 뜻이지. 버르장머리 없는 너희 집 꼬마들도 그렇게까지 심각하진 않아도 얼추 비슷할 듯한데. 아이가 부모에게 왕처럼 떠받들어 달라고 한 적은 없으니 아이 책임은 아니야." 나는 딸들에게 자신감과 건강한 자긍심을 불어넣고자 뭐든 대단하다고 추켜세워 줬는데…. 지금 아이들은 옷 속에 동물 인형을 서너 개나 쑤셔넣은 채로 저녁 식탁 주위를 뛰어다니면서 어른들이 그런 행동을 사랑스러워할 것이라 믿고 있다.

나는 결국 자기 자신이 주인공이 아닌 대화나 토론에는 어떻게 참여해야 하는지 모르는 '자랑쟁이' 둘을 키운 셈이다. 아이들을 정말 사랑하지만 봉제 인형을 옷 속에 집어넣는 행동 따위는 전혀 대견해 보이지 않는다. 아이들도 이를 알아야 한다고 생각한다. 블랙코미디 영화에서나 환영받을 장면이다. 그러나 태어나면서부터 이어졌던 칭찬과 관심을 수도꼭지 잠그듯 단번에 중단하면 서로 힘들어질 것이 뻔했다. 현재 차근차근 노력하여 조금씩 진전하고 있는 중이다. 특히 우나에게서 확연한 변화를 느낀다.

안타깝지만 아직 이를 깨닫지 못한 친구들도 많다. 얼마 전 맨해튼 어퍼 웨스트사이드에 사는 친구 보니의 초대로 집을 방문했는데, 그 생각만 하면 지금도 소름이 끼친다. 보니는 여덟 살 된 딸 벨라가 집 안에서 게임을 하자고 했다면서, 파티에 초대된 가족들에게 이메일로 게임을 위한 특별한 물건과 그에 관한 이야기를 준비해 달라고 부탁했다. 시작부터 프랑스 스타일에서 벗어나는 느낌이었지만 어쨌든 우리는 프랑스가 아닌 미국에 살고 있으니 요청에 응할 수밖에 없었다. 파티는 훌륭했다. 28층 아파트의 테라스 아래로 펼쳐진 허드슨 강 전경이 파티의 격을 높여주었다. 어른들은 테라스에서 와인을 홀짝거리고 아이들은 집 안에서 재미있게 노는 그 완벽한 순간, 벨라가 오더니 지금 당장 게임을 시작해야겠다고 선언했다.

　최악의 타이밍이었다. 테라스에 있던 어른들은 모두 아름다운 스카이라인을 배경으로 와인을 즐기면서 대화를 나누고 싶어 했다. 보니는 20분 뒤에 시작하자는 말로 벨라를 달래려 했다. 당장 비명이 터져 나왔다. 어른들이 와인을 다 마시거든 바로 시작하자고 했더니 비명 소리가 더 커졌다. 게임을 미루려는 시도는 애원으로 이어졌지만 다 소용없었고, 결국 보니는 항복했다. "알았어, 그럼 가서 아이들 데리고 나와. 여기서 게임 하자." 하지만 어림없었다. 벨라는 반드시 응접실에서 게임을 해야 한다고 고집부렸다.

　어른 여덟 명이 아이 하나를 기쁘게 해주려고 천국 같은 테라스를 떠나 답답한 응접실로 터덜터덜 걸어 들어갔다. 그러나 벨라의 패악은 여기서 그치지 않았고, 보니는 침묵이 흐르는 응접실에 손님들을 앉혀둔 채 딸과 옆방에 가서 한참 이야기를 나눴다. 그러는 동안 나는 프랑스인이라면 이런 상황을 어떻게 정리할까 자문했다. 물론 답은 이미 나와 있었다. 보니는 "지금은 안 돼, 벨라. 때가 되면 알려줄게"라고 말했어야 했다. 즉, 사령관으로 변신했어야 했다. 물론 벨라처럼 오랫동안 사령관 행세를 해온 아이를 교화하려면 처음에는 많은 불편을 감수할 수밖에 없다.

　솔직히 대프니도 아직 미완성이기는 하다. 그렇지만 우나의 경우 조금 '터프한' 방식으로 키우면서, 왜 엄마가 온종일 자신만 쳐다보고 있을 수는 없는지, 왜 어른들의 관심이 자신에게만 쏟아지기를 바라서는 안 되는지 차근차근 설명해주니 큰 변화가 생겼다.

우나는 이제 기다릴 줄 안다! 우리 부부는 저녁에 손님을 초대할 때 잠자는 시간을 늦춰서 아이들이 그 자리에 낄 수 있게 해줬다. 단, 모임의 일원이 되어야지 주인공이 되겠다고 떼를 써서는 안 된다는 단서를 달았다. 어기면 가차 없이 침대로 보냈다. 대프니는 아직 오래 버티지 못하고 결국 떼를 쓰다 혼자 외롭게 침실로 쫓겨 가고는 한다. 하지만 언니인 우나는 졸음이 밀려와 스스로 자러가고 싶어질 때까지 별문제를 일으키지 않는 경지에 이르렀다.

프랑스 서해안 지역에서 수십 년째 살고 있다는 내 친구가 보내준 이메일을 보면 사교 모임에서 아이를 어떻게 다루어야 하는지 가닥이 잡힌다.

"어떤 자리라도 아이들이 배제되는 법은 없어. 저녁 파티나 결혼식 같은 행사에도 반드시 아이들을 함께 초대해. 아이들은 어른들과 같은 테이블에 앉아서 어른들이 먹는 음식을 나이프와 포크를 사용해서 함께 먹어. 수프, 샐러드, 냄새 나는 치즈까지. 그러면 아이들도 좋아해! 어른들은 아이들을 존중해주고 귀여워해주기도 하지만 동시에 순종할 수밖에 없게 만들어. 남의 아이라도 잘못하면 서슴없이 야단치지. 크리스마스나 한 해의 마지막 날처럼 특별한 날에는 아이들도 늦게까지 놀 수 있게 내버려 둬. 그러다 지치면 어차피 쓰러져 잠드니까. 솔직히 여기 온 뒤로 생떼 부리는 아이를 본 적이 있는지 생각이 안 나."

부러워하면 안 된다. 부러우면 지는 거다. 교훈을 얻어야 한다!

아무리 되뇌어도 부럽다. 프랑스 친구들마다 패악 부리는 아이를 언제 봤는지 '기억나지 않는다'고 하니 샘을 안 내려야 안 낼 수가 없다. 생떼 없는 세상은 나에게는 허구다. 프랑스 친구 열 명이 녹음기처럼 똑같은 대사를 반복하지 않았다면 결코 믿지 않았을 것이다. 우리 대프니만 해도 지난 24시간 동안 벌였던 생떼를 눈 감고도 줄줄 읊을 수 있다.

· 어제 오후에는 펜 끝이 '마음에 들게 구부러져 있지 않다'는 이유로 계속 칭얼거렸다. 대체 어떻게 구부러져야 마음에 든다는 말인지….

· 거품 목욕제가 없다고 하자 있는 대로 짜증을 냈다.

· 어젯밤에는 담요가 말을 듣지 않는다면서 약 8분간 사람 진을 빼놓았다.

· 오늘 아침, 제일 좋아하는 장난감 왕관이 없어졌다며 30분 동안 악을 쓰고 울면서 찾아다녔다.

· 인터넷 연결이 끊어져 게임을 할 수 없게 되자 거의 발작을 일으켰다.

프랑스 육아 사이트 '아기들의 소동Enfants-ados' 운영자는 돌토의 책을 정독이라도 한 듯 '생떼 예방을 위한 간단한 네 가지 요령'을 다음과 같이 제시한다.

1. Être clair et fermes sur les principales règles.

2. Rester serein face aux pleurs de l'enfant.

3. Apprendre à l'enfant à savoir attendre.

4. Apprendre à l'enfant à respecter également vos exigences.

여기에 살을 붙여 번역하면 다음과 같다.

1. 명확한 규칙을 정하고 절대 물러서는 안 된다.

부모와 아이 사이에 불변의 규칙을 정해야 한다. 예를 들어 차를 탈 때는 안전벨트를 한 채 카시트에 얌전히 앉아 있는다, 길을 건널 때는 엄마나 아빠의 손을 잡는다, 정해진 시간에 잔다, 식탁에서는 똑바로 앉아 있는다 등. 가족마다 구체적 내용은 다를 수 있지만 무엇이 됐든 반드시 지키도록 한다.

2. 아이의 눈물 앞에서 냉정을 유지하라.

아이가 울 때 그 이유가 정당한지 정확히 파악하려 노력해야 한다. 단순한 생떼인지 부모가 가려내야 한다. 만약 생떼를 쓰고 있다면 철저히 무시하도록 한다. 아이들은 관심을 끌고 싶을 때나 부모의 마음을 돌리고 싶을 때, 부모로부터 양보를 얻어내고 싶을 때 울음을 터뜨리는 경우가 많다.

3. 아이에게 기다리는 법을 가르쳐야 한다.

기다림은 아이가 좌절을 견뎌내고 인내심을 기를 수 있게 해준다. 원한다고 다 가질 수는 없음을 깨우치게 해줘야 한다. 기다림은 아이의 정신적 발달을 방해하지 않는다. 오히려 강화한다.

4. 아이가 부모의 욕구를 존중하도록 가르쳐야 한다.

아이가 세상 무엇보다 소중한 존재이기는 하지만 그렇다고 부모의 권위를 잃어서는 안 된다. 당신이 사령관이다! 엄마 아빠가 늘 옆에 있을 수는 없고 늘 놀아줄 수는 없음을 인지시켜야 한다. 부모도 사람이다. 따라서 혼자만의 시간, 부부만의 시간이 필요하다는 사실을 알려야 한다. 반드시 적용되어야 할 원칙이다.

프랑스식 육아법을 접하기 전에는 대프니가 언제든 매켄로로 돌변할 수 있으며 달래려는 순간 발차기가 시작된다는 사실을 그저 견뎠는데, 사령관 자리를 꿰찬 후 재활 프로그램을 가동시켰다. 첫 단추를 잘못 끼운 탓에 대프니와 함께 물 새는 배에 올라타게 된 나를 자책했지만 어쩌겠나, 이미 엎지른 물인 것을. 나는 이 상황을 바로잡기로 결심했다.

일단 돌토의 이론을 바탕으로 한 '생떼 예방을 위한 간단한 요령'을 실천에 옮겼다. 물론 그리 간단하지는 않았다. 그 결과는 잠시 후에 설명하겠다. 사실 아이들은 우리 생각보다 훨씬 질기다. 아무리 안 된다고 말려도, 벌을 줘도, 엄격해져도 쉽사리 풀이 죽거나 자긍심을 잃지 않는다. 돌토는 아이가 금지나 제한을 당했을 때 경험하는 짜증이 '상징적 거세'와 같다고 설명한다. 그러면서 아이의 욕구와 충동 조절 능력을 길러주려면 이런 상징적 거세가 필수적이라고 주장한다. 당연히 대프니는 그때까지 그런 거세를 경험한 적이 없었다. 거세란 개념이 들어간 조언을, 특히나 우리 아이들과 관련해서 긍정적으로 받아들이게 되리라고는 상상조차 못했는데 활용해볼 만하겠다는 생각이 들었다. 그렇다고 돌토가 아이에게 독재자처럼 굴라고 하지는 않는다. 그녀는 책에서 이렇게 말했다.

"위험을 방지하기 위해 엄격하게 굴고 있다면 당연히 엄격한 태도를 유지해야 한다. 하지만 항상 아이를 우선 배려하고, 성장 과정을 거치고 있는 아이의 인격을 존중해야 한다. 우리는 부모로서 아이를 위해 정신적, 육체적 위험을 막을 책임이 있다. 우리 부모들이 엄격하게 행동하지 않으면 아이들은 퇴보하고 스스로를 검열할 수밖에 없게 될 것이다. 이렇게 되면 아이들의 심신이 약화된다. 부모가 해야 할 일을 스스로 하느라 아이는 에너지를 소진하고 만다. 우리가 엄격하게 행동하면 당장은 아이들이 화를 낼지 몰라도 에너지는 아낄 수 있다."

사령관 자리를 되찾기 전, 나는 아이들과 매사에 논쟁을 벌여야 했다. 그러느라 소모한 열량이 얼마나 될까 종종 생각해본다. 우나와 다음과 같은 입씨름을 백만 번은 벌였다.

"우나, 탁자에서 발 내려."

"엄마, 발이 올라가고 싶대! 발도 감정이 있어."

"바람직한 감정은 아니네. 그렇게 말해도 소용없어."

"1분만 있다 내릴게."

"안 돼. 지금 내려."

"아빠도 가끔 발 올리잖아. 아빠는 해도 된다고 했어."

"내려!"

"소피네는 거실 탁자에 올라서도 된대. 나도 해도 돼?"

"안 돼. 발 내려."

"슬리퍼 신을게. 그럼 발이 탁자에 안 닿잖아."

"아, 좀! 발 좀 내려. 엄마는 탁자에 발 올리는 거 보기 싫어!"

"난 좋은데, 난 괜찮은데!"

"지금 당장 안 내리면 후회하게 만들어줄 거야."

"엄마 나빠!"

이 대화가 구구절절 이어지는 동안 우나의 발이 탁자 위에 5분 이상 머물렀으니 결과적으로 나는 나쁜 엄마가 아니다.

제대로 된 사령관이라면 애초에 탁자에 발을 올릴 생각조차 못하게 해야 한다. 프랑스 임상 심리학자 나탈리 로카유^{Nathalie Rocailleux}도 아이들, 특히 18개월~4세 아이들에게는 규칙을 정해주는 데서 그치지 말고 왜 그런 규칙을 지켜야 하는지 설명해줘야 한다고 강조했다. 그렇게 함으로써 아이는 어른의 말을 신뢰하고 어른의 권위가 나의 안전을 위해 꼭 필요하다고 인식하게 된다.

내가 거실 탁자에 발을 올리지 말라고 하는 데는 몇 가지 이유가 있다. 남편에게도 이유를 차근차근 설명해줘야겠다. 일단 탁자에는 음식이 올라간다. 나를 구식이라 비난해도 좋지만, 아무튼 음식을 올려놓는 장소에 냄새 나는 발이 올라가 있었다는 생각만 해도 속이 뒤

집힌다. 둘째로, 예절에 어긋난다. 프랑스에서는 예절을 엄청나게 중요시한다. 여기에 대해서는 나중에 더 자세히 설명하겠다.

여기서는 예절이 매우 중요하고, 예절을 올바로 익혀야 행실도 엇나가지 않는다는 정도로 정리하자. 아무튼 이러한 형식과 틀이 탄탄히 갖춰져야 규율도 잡힌다는 말을 듣기만 하다가 딸들에게 적용해보고 실제 효과를 확인했다. 저녁 8시에 예외 없이 아이를 잠자리에 눕히면, 아이는 이를 불가피한 현실로 받아들이게 되고 부모는 날마다 협상을 벌일 필요가 없어진다. 예전에는 우리 집에서도 매일 저녁 취침시간 20분 전부터 공지가 시작되곤 했다. 실제 침대로 들어가기 전까지 길고 지루한 흥정이 기다리고 있었기 때문이다. 어쩌다 내가 공지를 잊으면 아이들 스스로 잠자리에 드는 법은 결코 없었다. 이런 식으로는 곤란했다.

로카유는 어른들이 규칙을 정하되 규칙이 합리적이어야 한다고 지적한다. 어른들의 구미에만 맞춘 규칙을 일방적으로 강요해서는 안 된다. 모두를 위한 규칙이어야 한다. 또한 로카유는 규칙이 모두에게 공정하게 적용돼야 한다고 강조한다. 좋다. 오늘부터 우리 집에서는 아무도 탁자에 발을 올려놓을 수 없다. 남편도 예외는 아니다.

나는 아이들에게 쉽게 항복하는 고질병이 있었다. 아주 심각한 중증임을 뒤늦게 깨달았다. 매번 아이들에게 '딱 한 편만' 허락했다가 아이들이 다시 한 편만 더 보게 해달라고 애원하면 마음이 약해졌다. 아이들이 그 조그만 얼굴을 들이밀며 애교를 떨면 당해낼 도리가 없었고, 다른 이유도 몇 가지 더 있었다. 일단, 프로그램이 방영되는 25

분 동안의 평화는 뿌리치기 힘든 유혹이었다. 또 내가 한발만 물러서면 아이들로부터 "이 세상에서 엄마가 최고야!"라는 애정 표현을 듬뿍 들을 수도 있었다.

불행히도 이 때문에 아이들은 내가 무슨 말을 하든지 귓등으로 들으며 일단 버티고 보는 버릇이 생겼다. 내가 만난 프랑스 부모들은 아이들이 어떤 애교를 떨어도 절대 굽히는 법이 없었다. "캐서린, 절대 물러서지 마! 네가 처음 한 말을 고수하면 아이들과 논쟁할 필요가 아예 없어져." 다 맞는 말이다. 내가 인정사정 봐주지 않겠다고 결심한 지 얼마 안 돼 곧바로 효과가 나타났다. 최근 딸들이 각자 친구를 집에 데려왔을 때 내 자부심을 드높이는 일화가 생겼던 것이다. 과자가 세 봉지 있기에 두 봉지를 뜯어서 네 아이에게 절반씩 나누어 주었더니 한 봉지가 남았다. 그러자 우나가 남은 한 봉지를 넷으로 나누자고 제안했다. 합리적인 제안이었다. 다만 그날 저녁 파티가 예정되어 있어서 아이들이 군것질을 많이 하게 될 것 같아 내가 과자 반 봉지로 상한선을 정한 뒤라는 데 문제가 있었다. 나는 가차 없이, 단칼에, 안 된다고 못을 박았다. 그러고 났더니…. 내 자신이 너무 대견스러웠다! 아직 프랑스 스타일을 접해보지 못한 듯한 우나의 친구가 말했다. "겨우 한입밖에 안 되잖아요. 우리 엄마도 괜찮다고 하실 거예요. 먹으면 안 돼요? 저는 손님이잖아요." 교화할 곳이 한두 군데가 아닌 그 아이를 앞에 두고 나는 일단 심호흡을 했다. 그런데 내가 막 그 아이를 타이르려던 찰나 사랑스런 딸이 먼저 입을 열었다. "야, 소용없어. 아무리 졸라도 우리 엄마한텐 안 통해. 나가서 놀자." 사령관이 드디어 한 건 올렸다!

하지만 사령관이라고 해서 늘 완승을 거두지는 못한다. 그러니 프랑스 스타일을 실행한 뒤 즉각적인 효과를 보지 못한다고 절대 의기소침해질 필요는 없다. 참고로 대프니의 생떼는 아직도 현재진행형이다. 프랑스인의 지혜를 언제든 써먹을 수 있도록 준비 태세를 갖췄는가가 중요하다. 내 경우엔 본격적인 프랑스화에 앞서 사전 정지 작업이 필요했다. 때문에 초기에는 정통 프랑스 스타일을 약간 변형한 나만의 스타일을 개발했다. 내 사랑스런 망나니들을 프랑스에서 마주쳤던 꼬마 모범 시민으로 개조하는 데는 당연히 시간이 걸린다. 그래서 나는 소소한 승리에서 위안을 얻는 법을 터득했다. 프랑스 부모들의 조언 하나를 공유하자면 다음과 같다. "Que le châtiment conviène au crime." 즉, '죄를 저질렀으면 그에 상응하는 대가를 치러야 한다.'이다.

두 딸이 여름캠프를 시작하던 날, 나는 이를 실천으로 옮겼다. 이제 와 생각하니 대가의 강도는 프랑스 기준에 미치지 못했던 것 같다. 프랑스 스타일로 향하는 과도기에 막 들어섰다는 긴장감에 더해서, 대프니가 전날 밤 늦게 잠자리에 들었다는 사실도 나를 막막하게 만들었다. 결국 나는 아침 내내 대프니가 캠프에서 말썽이나 피우지 않을지 조바심쳤다. 일단 아이는 예상대로 칭얼거리면서 일어났다. 잠이 모자라니 그럴 수밖에. 대프니는 잠이 모자라면 세상 다 산 노인네처럼 구시렁댄다. 보고 있자면 웃기기도 하지만 대개는 그저 성질이 더러워 보일 뿐이다. 아이는 언제나처럼 냉장고로 가서 점심 도시락에 무엇이 들어갔는지 검열했다. 물론 이런 행동을 묵인하는 행위 자체가 프랑스 스타일에 어긋난다. 작은 초콜릿 크래커 다섯 개로는 만족할 수 없다는 눈치였다. 행여 대프니의 심기가 불편해질세라 노심초사하고 있던 나는 아이를 부엌으로 데려가서 원하는 만큼 과자를 안겨주었다. 역시 프랑스 스타일은 아니지만, 여기까지는 좋았다. 그럭저럭 별 탈 없이 진행되고 있다고 생각했다.

10분 뒤 우나가 비장한 태도로 내게 다가왔다. 화가 난 듯 씩씩거리면서도 목소리를 낮추어 "왜 대프니한테는 아침으로 초콜릿 쿠키를 한 봉지나 줘?"라고 물었다. 시한폭탄 같은 대프니가 폭발하지 않도록 잘 달래면서 여름캠프 버스를 놓치지 않기 위해 어서 준비를 마치고 집을 나서야 하는 상황이었다. 즉, 대프니의 일탈을 프랑스 스타일에 맞춰서 벌할 만한 여유 따위는 없었다.

한데 아침 식사로 쿠키를 먹었다고? 뭔가 조치를 취해야 했다. 적절한 대가를 치르게 하려면 애초 점심 도시락에 넣어주었던 초콜릿 크래커를 빼앗아야 한다. 그러나 감당할 자신이 없었다. 대프니가 너무 좋아하는 디저트라 빼앗을 경우 거의 신경쇠약 증세를 일으킬 것이 뻔했다. 예전의 나였다면 이런 상황에서 "대프니, 잘못했지? 다시는 그러면 안 돼! 자, 이제 가자" 정도로 마무리했을 것이다. 아이들이 버스를 놓치면 회사까지 데리고 가는 수밖에 없었기 때문이다.

그러나 나는 달라지는 중이었다. 대프니의 죄에 거의 상응하는 처벌을 생각해냈다. 작은 곽에 든 민트맛 캔디 세 개. 나는 그 캔디 세 개를 빼앗았다. 하찮아 보일 수도 있겠지만, 몇 주 전 이모로부터 받은 과자 상자에 마지막으로 남아 있는 군것질거리였다. 아이의 저항은 그리 심하지 않았고 우리는 버스 시간에 맞출 수 있었다. 무엇보다 내가 뭔가 조치를 취하는 데 성공했다! 다음번엔 100% 프랑스 스타일을 적용할 참이다. 시간에 쫓기지만 않는다면 말이다.

이 초콜릿 쿠키 대소동은 미국 부모들이 지표를 잃고 방황하는 지점이 어디인지 잘 보여준다. 미국은 자유와 창의적 사고를 지향한다. 말은 그럴듯한데, 좀 더 합리적으로 생각해보자. 동네 놀이터에 가면 혼자 신발을 신겠다고 우겨서 왼발에 신어야 할 신발을 오른발에 신거나 두세 사이즈 큰 신발을 신은 탓에 자꾸 넘어지는 아이들이 수두룩하다. "우리 애는 워낙 자기주장이 강해서 큰누나 운동화를 신으려고 해요." 행간에는 '아이의 창의성을 억누르고 싶지 않다'는 의미가 내포되어 있다.

나는 뉴웨이브와 펑크 음악을 들으며 자랐다. 내 또래들이 즐겨 봤던 시트콤 〈펑키 브루스터Punky Brewster〉 역시 좋아했다. 엉뚱한 신발을 신으려는 아이의 심리 정도는 이해하고도 남는다. 하지만 프랑스 육아 서적에서 발견한 다음 대목을 언급하지 않을 수 없다. "옳고 그름을 가르치는 데 주저하지 말라." 미국 부모들은 아이의 예술가적 기질을 억누를까 걱정하며 아이가 제멋대로 행동하도록 내버려 둔다. 그러나 아이들은 적어도 일곱 살은 돼야 사리 분별이 가능하다는 점을 기억할 필요가 있다.

부모라면 아이들의 사기를 북돋워주는 데에서 멈추지 말고, 옷

입는 법이나 식사 예절부터 어른을 대하는 법에 이르기까지 일상생활을 올바로 영위하도록 가르쳐야 한다. 조카 중에 자신이 강아지라고 생각하는 아이가 있었다. 그 덕분에 아이 엄마는 채소를 수월하게 먹일 수 있다며 좋아했다. 그릇을 땅바닥에 놓아주면 아무리 난이도가 높은 채소라도 곧잘 먹었다. 아이 엄마는 "우리 애는 정말 창의적이야!"라며 스스로를 합리화했다. 조카는 여섯 살이 거의 다 된 지금도 포크와 나이프를 쓰지 않으려 한다. 훗날 직장에 들어가 상사들과 점심을 먹을 때도 개처럼 울부짖으며 입으로 스테이크를 물어뜯으면 어쩔 텐가? 당연히 그 가족은 조카 때문에 좀체 외식할 엄두도 내지 못한다.

프랑스의 식탁 예절을 자세히 설명하기 전에 먼저 프랑스 아이들에게 요구되는 예절을 몇 가지 소개하고 넘어갈까 한다. 나는 프랑스에 갔을 때 프랑스 아이들과 인사를 나누면서 어안이 벙벙해져 뒤로 자빠질 뻔했다. 내 친구, 지인, 심지어 인터뷰 때문에 처음 만난 사람의 아이들까지 나를 보자마자 주저 없이 양 볼에 번갈아 입을 맞추지 뭔가. 어떤 아이도 감히 낯선 미국인을 못 본 체하거나 흘겨볼 엄두를 내지 못했다. 열 중 아홉은 부모가 시키기 전에 스스로 따뜻한 인사를 건넸다. 프랑스 사회는 전반적으로 예의를 무척 중시한다. 상점에 들어가고 나올 때 점원에게 인사를 하지 않으면 나이를 불문하고 본데 없다는 소리를 듣는다. '고맙습니다'와 '실례합니다'를 입에 달고 산다. 볼수록 놀라울 따름이다. 이런 광경을 보노라면 당연히 미국에 있는 우리 아이들이 떠오른다. 대프니와 우나는 태어날 때부터 지금까지 줄곧 같은 아파트에서 살고 있는데도 이웃 어른들을 만나면 습관처럼 내 뒤에 숨거나 못 본 체한다. 창피한 노릇이다. 하지만 바꿀 수 있다. 프랑스화 프로젝트를 시작하며 나는 아이들에게 이렇게 요구했다. "얘들아, 아이들은 항상 어른들께 인사를 드려야 해. 특히 이웃이나 엄마 아빠의 친구처럼 아는 어른들께는 꼭 인사드려. 이제부터 아는 어른을 보면 '안녕하세요?'라고 먼저 인사해야 해. 그러면 너희도, 엄마도, 어른들도 다 행복해지는 거야. 이 규칙을 어기면 엄마가 벌을 줄 거야."

그래서 어떤 벌을 줬냐고? 다행히 어떤 벌을 줘야 할지 고민하는 단계까지 간 적은 없다. 하지만 어느 가을 오후 이웃집에 사는 프랑스 아이들과 마주쳤던 기억이 잊혀지지 않는다. 표정이 그야말로 침통하기에 무슨 일이 있냐고 물었더니, 엄마에게 할로윈 사탕을 3주간 압수당했다고 했다. 이웃 할머니께 인사를 드리지 않았기 때문이란다. 내가 생각해도 가혹하다. 하지만 그 아이들은 절대 같은 잘못을 두 번 저지르지 않을 것이다.

프랑스인들에게 있어 예절은 존중과 동의어다. 그래서 특히 어른과 맞먹으려 드는 우나를 상대로 예절 교육 강도를 높여보기로 했다. 필요한 말은 단 한마디. '우리 딸, 그렇게 하면 프랑스 스타일이 아니지.' 물론 난관이 예상되었다. 우나는 친구의 할아버지가 담배를 피우면 "담배는 아주 나빠요. 담배 피우면 할아버지 죽어요. 이제 피우지 마세요!"라고 '타이르는' 아이였기 때문이다. 자기보다 수십 년을 더 사신 분을 가르치려드는 모습에 식은땀이 흐르면서도 니코틴의 해악을 확실히 인지하고 있다는 데에 대한 안도감이 밀려왔다. 그래도 어르신께 그렇게 말하도록 내버려 둘 수는 없었다. 우나는 환경 문제에도 같은 증세를 보였다. 환경주의자가 되려는지 함부로 쓰레기 버리는 사람을 보면 본능적으로 "버리지 마!"라며 버럭 소리를 질렀다. 우나의 환경에 대한 애착을 억누르고 싶지 않았다. 또한 쓰레기로 지구를 더럽혀도 괜찮다는 잘못된 인식을 심어주고 싶지도 않았기 때문에 비판 수위를 조금 낮추도록 유도했다. 요즘 우나는 주로 이렇게 말한다. "아줌마, 바닥에 뭘 떨어뜨리셨어요. 줍지 않으실 거면 제가 주울게요." 여전히 약간 되바라진 감이 없지 않지만 틀린 말은 아니다. 쓰레기는 함부로 버리면 안 된다.

이론적으로나마 다른 어른들은 웬만큼 존중받게 됐으니 이제 남편과 내가 존중받을 차례였다. 하인 노릇은 할 만큼 했다. 일단 엄마나 아빠를 비난하면 아이들을 각자 자기 방으로 쫓아냈다. 마찬가지로 기껏 밥을 차려주거나 머리를 빗겨줬는데 마음에 안 든다며 투정을 부려도 쫓아냈다. 물론 싫다는 감정을 표현할 수는 있다. 심지어 오늘 저녁에도 둘 다 입을 모아 충분히 표현했다. 하지만 예의를 갖춰야 한다. 예전 같으면 "징그러워! 안 먹을래!" 했을 아이들이 지금은 "미안해 엄마. 먹어보니까 내 입에 정말 안 맞아"라고 한다. 오늘 저녁 우나는 이런 말까지 덧붙였다. "불쌍한 우리 엄마. 요리하느라 정말 애썼는데…." 이제부터는 본인이 하는 말에 영혼을 좀 담으라고 가르쳐야겠다.

프랑스 부모들은 예절을 가르칠 때도 무척 창의적이다. 아이가 식탁 앞에 구부정하게 앉아 있자 톡 쏘듯이 이렇게 말하는 엄마도 있었다. "척추의 고마움을 모르는 것 같구나. 너는 지렁이가 아니야. 계속 그러면 뼈가 없어져서 지렁이처럼 기어 다녀야 할 거야." 프랑스 부모들은 엄격하되 유머 감각을 잃지 않는다.

총사령관이 규칙을 예외 없이 적용하면 예의 바른 아이를 키워낼 수 있다는 사실에 덧붙여 프랑스 친구들에게 배운 요령이 하나 더 있다. 아이가 사달라는 대로 다 사주면 절대 안 된다는 것이다. 나는 아이들에게 규칙을 적용하면서 습관적으로 포상을 제시했다. 잘못을 지적하려 들지 말고 칭찬에 초점을 맞추란 글을 어디선가 읽었기 때문이다. 이론적으로는 그럴듯해 보이지만 아이들은 생각보다 영리하다. 지나고 보니 '날 잡아 잡수시오'라며 아이들 앞에 벌렁 드러누운 꼴이나 다름없었다. 우나와 대프니는 지하철을 타고 내릴 때까지 아무런 말썽을 부리지 않았거나 저녁 식탁에서 조용히 밥그릇을 비우고 나면 당연히 상을 받아야 한다고 생각하게 됐다. 한 번은 다 함께 영화관에 갔는데, 영화가 끝나고 나자 얌전히 앉아 있었던 대가로 뭘 받게 되느냐고 당당히 묻지 않겠는가. 바로 그때 변화의 필요성을 절감했다.

프랑스에서 아이들이 말을 잘 듣는 이유는 아주 어릴 때부터 그래야만 한다고 배우기 때문이다. 프랑스인 가족과 어울리다 보면 정말 신선한 경험을 하게 된다. 어른들이 이야기를 하고 있는 방에 아이가 들어와도 아무런 방해가 되지 않는 경험 말이다. 아이들은 그냥 앉아서 어른들 얘기를 듣는다. 물론 할 말이 있으면 끼어들어도 되지만 어른들에게 방해가 되지 않게 공손히 끼어든다. 아이가 관심을 끌고자 불손하게 구는 경우가 아주 드물게 있기는 하지만, 그런 아이는 부모로부터 방에서 나가라는 지시를 듣거나 번쩍 들려 쫓겨난다. 아이를 번쩍 들고 나간 부모는 아무 일도 없었다는 듯 금세 돌아온다. 방에서 나가 아이와 긴 협상을 벌이지도 않고, 다시 방에 들어오면서 사과나 변명을 늘어놓지도 않는다. 잠시 끊긴 대화를 자연스럽게 이어갈 뿐이다.

그럼 쫓겨난 아이는 어디로 갔을까? 대개는 자기 방으로 간다. 욕실이나 찬장에 갇힐 때도 있고, 어느 집에나 있는 '생각하는 자리'에 서 있기도 한다. 프랑스 아이들은 부모를 적당히 무서워하며 자란다. 말썽 부리다 쫓겨난 뒤에도 미친 듯이 날뛰지 않는 이유는 바로 이 때문인 듯하다. 프랑스 스타일을 접하기 전의 나였다면 아이가 부모를 무서워한다는 사실 자체에 거부감을 느꼈을 것이다. 이제는 다르다. 물론 아이들이 부모 앞에서 사시나무 떨듯 떨게 만들자는 얘기는 아니다. 다만 아이들로부터 존중받고자 한다면 어느 정도 강경한 태도를 취해야 한다는 사실을 강조하려는 것이다.

이를 위해 프랑스에서는 가끔 체벌이라는 기술을 동원하기도 한다. 프랑스인들은 아이가 말을 듣지 않을 때 종종 엉덩이를 때린다. 물론 안 그러는 프랑스 부모들도 있다. 내가 인터뷰한 이들 중 단 두 명만 아이를 찰싹 때려봤다고 인정했다. 그 둘도 모두 그때 딱 한 번뿐이었다고 강조했다. 하지만 내가 실제 목격한 바는 조금 다르다.

프랑스에 갔을 때 지하철, 놀이공원, 길거리, 가게 등 장소를 불문하고 말썽 피운 아이들이 그 자리에서 체벌받는 장면을 실제로 봤다. 물론 절대 세게 때리지는 않는다. 그럼에도 불구하고 이 부분만큼은 프랑스 스타일에 동조할 수 없다. 일단 때리는 행위는 지나친 공포감을 조성한다. 특히 미국에서는 여러 가지 이유로 폐단이 더 많이 따른다. 체벌이 금기시된 미국에서 부모가 매를 들면 아이들에게 절대, 도저히, 다시는 지워지지 않을 상처를 남기게 된다. 매를 맞을 정도면 아이 스스로가 자신은 그야말로 구제 불능 수준이라고 오해하며 자포자기하게 될 가능성이 높다.

프랑스에서는 체벌이 그런 심리적 충격을 수반하지 않는다. 변명이 아니라, 대다수 프랑스인들은 부모에게 보고 배운 대로 아이를 키울 뿐이다. 반면 요즘 미국 아이들은 태어날 때부터 아동 보호기관 전화번호가 머릿속에 입력되어 있다. 이 역시 그다지 바람직하다고는 볼 수 없지만, 어쨌든 미국에서는 회초리를 들 생각 말고 말과 권위로 아이의 존경을 확보해야 한다.

자, 내가 프랑스 친구들의 과외를 받으며 어떻게 대프니를 변화시켰는지 그 얘기로 돌아가보자. 처음 프랑스화를 시도할 당시 대프니와 나는 꽤 깊은 수렁에 빠져 있었다. 앞서 소개한 생떼 방지 요령은 수년간 하루에도 몇 번씩 발작을 일으키는 패악이 습관으로 굳어버린 아이, 즉 대프니처럼 인이 박인 아이에게는 쉽사리 먹혀들지 않는다. 그러니 부모들이여, 프랑스식 육아법은 아이가 한 살이라도 어릴 때 시작하자! 녹록지는 않았지만, 이제 나와 함께 대프니도 변하고 있음을 알린다. 지난 두 달 동안 대프니에게 나는 완벽한 프랑스 엄마였다. 변변치 못하게 캔디나 압수하던 시절은 끝났다. 아이의 버릇을 제대로 뜯어고치면서도 동네방네 소문은 내고 싶지 않았기에 친구와 이웃이 휴가를 떠나고 없는 여름에 대프니 '극기 훈련' 캠프를 발족시켰다.

대프니에게 기다리는 법을 가르치는 일은 힘들었던 만큼 보람도 컸다. 때때로 울컥하는지 그 조그만 몸을 부르르 떨기도 하지만 실제 폭발로 이어지는 경우는 점점 드물어지고 있다. 엄청난 발전이다. 나는 종종 아이의 '기다림' 근육을 길러주고 생떼 부리는 버릇을 뿌리 뽑기 위해 일부러 기다리게 만들기도 한다. 1년 전만 해도 가혹하고 불필요하다고 생각했지만, 지금은 진정 아이를 위하는 길이라고 믿게 됐다.

헬리콥터 부모들은 '잔디깎이 부모'로 변신해서 말 그대로 아이의 즐거움을 가로막는 장애물을 즉시 제거해준다. 조금 있다가 더 자세히 설명하겠지만, 잔디깎이 부모는 스스로 아이에게 장애물이 되고 만다.

우리 아이들이 마지막 완두콩 한 알까지 꾸역꾸역 삼키고 나서야 겨우 치즈 샌드위치와 달콤한 망고에 손댈 수 있듯, 마지막까지 아껴두었던 내 최고의 발견을 이제 꺼내 보이려 한다. 프랑스 육아법과 관련하여 소개했던 금쪽같은 지침, '피가 나면 모를까, 일어서지 마라'를 기억하는가? 처음에는 이 말이 그저 재미있다고 생각했다. 게다가 친구들과 수다를 떨다가 대프니에게 호출당해 일어나야 하는 상황이 정말 싫었기 때문에, 그렇게 살지 않아도 된다는 사실에 전율을 느꼈다. 프랑스 부모들의 심리를 더 깊이 파악하게 된 지금은 그 말에 훨씬 심오한 뜻이 담겨 있음을 안다. 아이에게 기다리는 법을 가르치면 모두가 행복해진다. 심지어 이웃들, 특히 엘리베이터 가까이 사는 이웃들도 좋아한다.

최근 아이들에게 새로운 규칙을 절대 어겨서는 안 된다는 사실을 누차 강조한 바 있다. 인터넷 연결이 끊겨서 어린이 프로그램을 보지 못하게 됐다고 패악을 부리면 컴퓨터를 아예 치워버린다는 등의 규칙이었다. 처음엔 아이들은 물론 나도 힘들었다. 프로그램을 재생하는 순간 시작되는 그 달콤한 자유를 포기하기란 쉽지 않았다. 하지만 인내하고 기다리니 아이들도 알게 됐다. 이제 인터넷이 끊기면 아이들은 터져 나오려는 눈물을 애써 참으면서 그저 나를 애절하게 바라볼 뿐이다. 이 대목이 중요하다. 아이들은 이제 엄마가 아니라 자신의 감정과 싸우고 있다. 사령관에게 싸움을 걸어서 득 될 것이 없음을 알게 된 것이다.

프랑스 스타일의 최대 장점은 공원, 레스토랑, 백화점 등 공공장소에서 아이에게 고래고래 소리를 지르는 남부끄러운 장면을 연출하지 않아도 된다는 점이다. 무엇보다 공익을 강조하는 프랑스인들은 아이에게만 예의를 주입하지 않고 자신들도 공공장소에서 예의를 차린다. 그럼으로써 훈육의 효과가 배가된다. 프랑스 엄마 엘렌은 공공장소에서 아이에게 소리를 지르고 싶을 때 다음과 같이 해결한다고 살짝 귀띔해줬다. "귓속말을 하는 거야. 아이를 바짝 끌어당겨서 귀에 대고 차분하게 뭘 잘못했는지, 왜 예의를 지켜야 하는지 말해줘. 가끔은 집에서도 그렇게 해. 귓속말을 하면 아이가 더 집중하는 것 같아서." 한편 프랑스 부모들은 아이의 상태가 통제 범위를 벗어날 때는 '창피 주기'라는 가장 효과적이고도 매우 가혹한 무기를 꺼내 든다. 아이의 나쁜 버릇을 바로잡기 위해 부모로서 최선을 다하고 있음을 주변 사람들에게 과시하는 부수적 효과도 있다. 하지만 아이에게 공개적으로 망신을 주는 행위는 내 기준에서 봤을 땐 좀 지나치게 가학적이다. 프랑스에서나 통하는 방법으로 생각해야 할 것 같다.

어쨌든 그런 소소한 요령을 배워두면 도움이 된다. 엘렌이 전수해준 또 하나의 비결은 '눈 마주치지 않기'다. 엘렌도 아이오와 출신의 미국인 남편을 둔 터라 가끔 시댁이 있는 미국을 방문해 아이를 놀이터에 데려간다면서 이런 얘기를 해줬다.

"아이가 울면 달래려고 허둥지둥 뛰어가는 미국 엄마들을 볼 때마다 황당해. 심지어 아이가 잘 놀고 있는데 그러는 엄마도 있어. 나는 애가 넘어지거나 해도 절대 아이와 눈을 마주치지 않아. 나와 눈이 마주치는 순간 관심을 끌려고 울기 시작할 테니까. 아이가 울면서 내가 있는 곳으로 오면 정말 다쳤다는 말인데, 그런 경우는 거의 없어. 디모인_{아이오와 주의 주도}에 와 보면 별 이유 없이 그냥 우는 애들도 많더라고. 이해가 안 돼."

그렇게 규칙과 원칙을 중시하는 프랑스 부모들에게 아이가 엄지손가락을 빨거나, 이불에 오줌을 싸거나, 손톱을 물어뜯는 등 비교적 가볍지만 보통 미국 부모들이 기겁을 하는 잘못을 저지를 때는 어떻게 대응하는지 물었다. 대답은 충격적이었다. 모두 내버려 둔다고 했다. 그래, 프랑스는 '레세페르Laissez-faire, 자유방임주의'의 땅이 아니던가! 그들은 "그런 문제는 시간이 지나면 저절로 해결돼"라고 했다. 엄지손가락을 입에서 뺄 생각을 안 하는 아이의 엄마인 나는 인터넷의 도움을 받아 버릇을 고쳐줄 방법을 찾다가 가슴이 쿵쾅거려 혼났던 적이 있다. 턱뼈 기형, 엄지 염증, 발음 장애, 콧방울 함몰, 심지어 낮은 SAT 성적까지 엄지를 빠는 습관과 관련이 있다고 하니 불안에 떨 수밖에…. 아이 둘이 모두 엄지 빠는 습관이 있는 파리의 엄마에게 고민을 토로하자 이런 답변이 돌아왔다. "아이 성적이 걱정된다고? 치아는 썩으면 뽑아야 하지만 엄지는 잘라버릴 수 없잖아. 그런 어쩔 수 없는 일은 걱정 안 해. 아직 애들인데, 뭐." 아직 애들인데, 뭐? 아이들이 짜증 내고 편식하고 반항할 때 우리가 슬그머니 넘어가면서 동원하던 명분 아니었나? 그렇다. 흥미로우면서도 모순적이다.

내 아이는 스스로 통제할 수 없는 행동 때문에 치과의사한테도 혼나고, 선생님한테도 혼나고, 그래도 모자라 나한테까지 혼이 났다. 그런데 나는 아이가 정작 못되게 굴 때는 아직 애라 그렇다고 합리화하며 눈감아주지 않았던가. 프랑스 스타일에 대해 좀 더 자세히 듣고 나니 두 살이 넘도록 고무젖꼭지를 물고 있는 프랑스 아이가 왜 그렇게 많았는지 비로소 이해가 간다. 프랑스 부모들은 그런 하잘것없는 문제로 아이와 씨름하며 힘을 빼는 대신 공공장소에서 남에게 폐를 끼치지 않는 데 집중한다. 한데 아이가 다른 아이를 때리면? 그럴 땐 프랑스 부모도 당황하지 않을까? 한 프랑스 엄마는 내게 이렇게 말했다. "친구를 때리는 아이는 다른 아이들과 놀지 못하게 해. 그래도 자꾸 때리면 똑같이 친구를 때리는 아이 하나를 데려와서 붙여놓으면 돼. 직접 당해보라는 거지. 내 여동생이 썼던 방법이야." 내 입장에서는 이 방법이 최선이라 여겨지지는 않지만, 어쨌든 그럴 때마다 정신과를 찾는 미국 부모만큼 프랑스 부모들이 유난스럽지는 않음을 보여주는 일화다. 실제로 아이가 공격적이라며 정신과 상담을 의뢰했던 미국인 친구가 내 주변에도 몇 있다. 이 일화는 또 다른 프랑스 엄마 잔의 육아 철학 '시간이 해결해준다'와도 일맥상통한다.

프랑스 부모들은 아이의 출생 순서와 행동거지를 연관 짓지 않는다. 즉, "대프니는 둘째라 그런지 좀 사나워" 등과 같은 진단을 입에 올리지 않는다. 출생 순서에 대한 집착도 '미운 두 살'처럼 우리가 만들어낸 것 아닐까?

선택과 집중은 프랑스 부모들과 이야기할 때 자주 등장하는 주제다. 그들은 타협하지 않지만 모든 상황을 심각한 이슈로 만들지도 않는다. 그렇게 자란 아이들이 부모가 되어 같은 방식으로 아이를 양육한다.

몇 년 동안 나는 유럽 아기들이 두 살도 되기 전에 배변 훈련을 마친다는 전설을 전해 듣기만 하다가 다섯 형제를 둔 프랑스 엄마와 마주 앉아 커피를 마시면서 실제로 가능한지 물어봤다. 나도 일찍부터 아이들이 기저귀를 떼게 하려고 갖은 노력을 다했지만, 별 효과를 보지 못했다. 심지어 대프니는 세 살 반이 되어서야 기저귀에서 벗어났다.

"글쎄. 난 그냥 우리 친정엄마가 하던 대로 했어. 아이가 9개월쯤 됐을 때 밥을 먹인 뒤 기저귀를 채우지 않는 거야. 그리고 조금 있다가 아기 변기에 앉혀. 매일 같은 시간에. 난 직장을 다니니까 베이비시터에게 부탁했어. 막내아들 빼고는 다 그렇게 키웠지. 막내는 기저귀를 너무 좋아했거든. 그래서 그냥 내버려 뒀어. 별일 아니니까. 어쨌든 나머지 아이들은 그렇게 했더니 다시는 기저귀를 찬 채로 대변을 보지 않더라고. 소변도 그런 식으로 가르쳤고."

이 방법을 진작 알았다 해도, 우리 딸들은 프랑스 아이들처럼 아기 변기에 가만히 앉아 있지 못했을 것 같다. 이것도 복종이 전제가 돼야 하니 말이다. 하지만 내가 조금만 더 자유방임적이었다면 대프니가 그렇게 고생을 하지는 않았을 텐데 싶다. 내가 읽은 책과 블로그에 따르면, 내 배변 훈련 방식이 지나친 압박이 되었다고 한다.

결론을 말하자면 엄해져야 한다. 아주 엄해지되 특정 문제에 대해서는 약간 고삐를 늦출 필요가 있다. 감이 좀 오는지? 나도 서서히 감을 잡아가는 중이다.

● 프랑스식 육아의 법칙 요약 버전

1. 당신이 총사령관임을 잊지 마라!

도대체 우리가 언제부터 두 살배기에게 휘둘리게 됐나? 아이 하나 때문에 갈팡질팡하는 가족이 적지 않은데, 부모와 아이 모두에게 부정적인 영향을 끼칠 뿐이다.

2. 체계가 절제력을 길러준다.

체계적이고 규칙적인 생활을 유지해야 훈육이 더 효과적으로 이루어진다는 연구 결과는 쉽게 찾을 수 있다. 아이들은 규칙적인 생활을 통해 절제력을 키우고 주변 환경을 건설적으로 통제할 수 있게 된다. 또 부모와의 힘겨루기도 확연히 줄어든다. 규칙적인 생활이 습관이 되고 나면, 아이에게 그런 규칙을 강요하면서 사람 잡는 괴물이 된 듯한 죄책감을 느낄 필요가 없어진다.

3. 아이들은 생각보다 질기다.

아이가 부모에게 반발할 때 일일이 발언권을 줄 필요는 없다. 한 번 '안 된다'고 하면 안 되는 줄 알아야 한다. 아이가 부모의 결정을 존중하고 신뢰하는 법을 배워서 해될 것은 없다.

4. 말썽을 부렸으면 그에 상응하는 벌을 받아야 한다.

어린아이들은 아직 통찰력이 없다. 훈육을 할 때는 아이가 세상 이치를 제대로 알지 못하는 상태임을 감안해야 한다. 잘못을 저지르면 반드시 벌이 뒤따른다는 사실을 인지시켜야 한다. 예를 들어 장난감을 던졌다면 그 장난감을 빼앗는 벌을 줄 수도 있다.

5. 물러서지 마라. 규칙을 정하면 반드시 지켜야 한다.

법을 어겨서 체포될 확률이 겨우 50%라면 법을 어기는 사람이 더 많을 것이다. 위협을 가했다면 끝까지 밀고 나가야 한다. 위협만 해놓고 행동으로 옮기지 않는 부모가 대부분이기 때문에 아이들은 빠져나갈 구멍이 있다고 믿게 되는 것이다. 경고만으로는 아무런 효과도 없다.

6. 옳고 그름을 가르치는 데 주저하지 마라.

아이들은 사리 판단 능력이 떨어진다. 윤리관을 심어주는 것도 중요하지만, 단순한 일과를 올바르게 행하도록 가르치는 것도 마찬가지로 중요하다. 오른쪽 신발을 오른발에 신으라고 한다 해서 결코 아이의 창의성이 위축되지 않는다.

7. 많이 사 준다고 능사가 아니다.

아이들이 요구하는 대로 군것질거리와 장난감을 제공해주면 요구 사항만 점점 더 많아질 뿐이다. 절제력을 길러주지 않는 한 똑같은 상황이 되풀이된다.

8. 피가 난다면 모를까, 일어서지 마라.

아이들은 말을 잘 듣는 듯하다가 어느 순간 완전히 자제력을 잃는다. 마찬가지로 언제 그랬냐는 듯 순식간에 진정하기도 한다. 그러니 아이가 비명을 지른다고 매번 일어설 필요는 없다.

● **무비토크 - 프랑스 영화에서 얻을 수 있는 육아 요령**

프랑스의 영화사는 가히 독보적이다. 프랑스 출신 거장 감독 명단은 그대로 영화학 커리큘럼이 된다. 장 뤼크 고다르Jean-Luc Godard, 프랑수아 트뤼포François Truffaut, 장 르누아르Jean Renoir, 클로드 샤브롤Claude Chabrol, 에리크 로메르Eric Rohmer 등 명단은 끝이 없다. 프랑스 영화는 뉴웨이브가 가장 유명하지만, 부모·자식 혹은 선생·학생 사이 에피소드를 묘사한 소품도 볼만하다. 아래 나열한 영화는 모두 육아에 관한 훌륭한 통찰을 담고 있다. 재미와 작품성이라는 두 마리 토끼를 모두 잡았다고나 할까? 이제 팝콘 한 봉지 아니면 크루아상 한 접시를 끌어안고 편안하게 뒤로 기대어 감상해보자.

〈뽀네뜨Ponette〉

가슴 저미도록 슬픈 이 영화는 엄마가 죽고 혼자 세상을 헤쳐 나가야 하는 어린 소녀를 통해 아이들이 얼마나 독립적이고 굳센지 보여준다. 울면서 볼 만한 가치가 있다!

〈스몰 체인지Small Change〉

프랑스 원제는 〈포켓 머니L'Argent de poche〉. 프랑수아 트뤼포가 가장 재기 발랄했던 시절에 영특하고 귀여운 아이들을 캐스팅해서 만든 작품이다. 영화 속 선생님의 대사는 아이들에게 세상이 반드시 아름답지만은 않다고 가르치는 프랑스식 접근법을 잘 보여준다. "인생은 고되지만 멋지단다." 훌륭한 가르침 아닌가?

〈마지막 수업Etre et avoir〉

한 교실에 학생이 열세 명뿐인 시골 학교를 무대로 한 다큐멘터리 영화다. 강렬한 영감을 주는 선생님의 모습에 가슴이 따뜻해지지 않는다면 당신은 냉혈한이다. 전문의의 진료가 필요할지도 모른다.

〈디어 미L'age de raison〉

프랑스에선 일곱 살이면 철이 다 들었다고 보는 것을 기억하라. 따라서 7세 미만의 아이와 함께 보면 좋을 영화다! 영화 속 아이는 다음과 같은 편지를 쓴다. '사랑하는 나에게Dear me. 오늘 나는 일곱 살이 되었어. 이제 사리 분별이 가능해졌으니 새로운 다짐을 하려 해….' 기절할 노릇이다.

〈와인이 흐르는 강Les enfants du marais〉

이 영화에 등장하는 버릇없는 아이 셋은 프랑스 아이들이라고 전부 모범 시민은 아님을 일깨워준다. 그러나 영화의 배경이 1918년인 만큼, 리메이크를 할 경우 아이들 캐릭터는 현대에 맞게 손을 많이 봐야 할 것 같다.

〈마르셀의 여름La gloire de mon pere〉

밝고 아름다운 전원을 배경으로 말도 안 되게 예쁜 아이들을 등장시키는 프랑스 영화는 차고 넘친다. 이 영화도 그런 영화 중 하나다. 20세기 초 프로방스로 돌아가 아이를 키우고 싶다는 욕구가 샘솟을 테니 마음의 준비가 필요하다.

〈코러스Les choristes〉

엄하지만 애정이 넘치는 선생님이 새로 부임해 문제 학생들의 삶을
바꿔놓는다는 내용은 프랑스 영화의 단골 소재다. 이 영화도 그런 부
류다. 그런데 감독은 어린 배우들에게 감정의 분출이 무엇인지 어떻
게 설명했을까? 아이들은 감독의 설명을 들으면서 그가 미쳤거나 외
계어로 말하고 있다고 생각하지 않았을까?

〈아빠, 엄마, 형제자매Mon pere, ma mere, mes freres et mes sœurs〉

여주인공은 아버지가 각기 다른 세 아이를 둔 이혼녀다. 미국에서 이
런 캐릭터는 '퇴폐적인 사회악'으로 비난을 사겠지만 프랑스에서는
자유로운 영혼이다. 자신이 원하는 대로 삶을 꾸려가는 훌륭한 엄마
다. 경의를 표한다.

〈버터플라이Le papillon〉

마음이 따뜻한 노인, 착하고 조숙한 아이, 희귀한 나비를 찾아 떠난
길…. 이 정도면 알 만하지 않나? 장폴 벨몽도Jean-Paul Belmondo가 주
인공이라는 사실 외에 딱히 내세울 만한 장점은 없다.

〈아이들이 우리를 고소할 거야That Should Not Be:Our Children Will Accuse Us〉

이 다큐멘터리에 등장하는 남프랑스의 시장은 학교 급식을 완전 유기
농으로 바꾸기 위해 분투한다. 내가 누차 강조했듯이, 프랑스인들에
게 음식은 매우 심각한 주제다.

Chapter 4

가정의 중심은
어른

가정의 중심은
어른

아이가 엄마 아빠의 코를 훑거나 엉덩이를 움켜쥐고 매달리는 등 성가시게 굴 때 말로 타이르는 데도 한계가 있다. 그 한계를 한 번으로 설정하면 참 좋았겠지만 나의 경우 늦어도 한참 늦었다. 딸들이 젖먹이일 때야 가슴, 목, 얼굴, 어느 부위를 만지든 그저 사랑스럽기만 했다. 하지만 어느 시점에 이르자 경계를 확실히 했어야 했다는 생각이 들었다. 포옹과 입맞춤은 언제든 환영이다. 그러나 '더듬기'에 가까운 행위도 여러 차례 경험했다. 아이들이 원래 호기심이 많은데다 워낙 나에게 애착을 갖고 있어서 그러려니 했다. 다 엄마를 좋아해서 그럴 거라고….

한데 나는 내 몸이 밤낮없이 놀이터로 개방되고 있는 상황에 생각보다 큰 스트레스를 받고 있었다. 프랑스 엄마들은 처음부터 몸을 적극적으로 보호한다. 모유 수유에 제한을 두거나, 부모 침대에 아이를 들이지 않거나, 엄마의 치마는 성역과 같아서 절대 밟고 올라서면 안 된다고 주입시킨다(프랑스 엄마들은 집에서도 트레이닝복 쪼가리는 입지 않는다).

아주 최근까지도 우리 집 아이들은 나를 밟고 올라서거나 나를 철봉 삼아 대롱대롱 매달리기도 했다. 마치 나라는 존재가 자신들의 소유물인 양 거리낌이 없었다. 얼마나 괴로웠을지 상상해보라.

"아기에게 무턱대고 주기만 해서는 안 된다. 특히 당신 가슴은 남편의 몫임을 기억하라." 이 말은 한 프랑스 친구가 첫아이를 출산한 뒤 의사로부터 들었다는 조언이다. 미국 엄마들은 그저 웃어넘길 가능성이 크지만 나는 이 심오한 한마디가 뇌리에 깊이 박혔다. 남편의 몫이라, 하하! 우리 남편은 아이들이 태어나자마자 찬밥 신세가 됐는데…. 남편에게도 젖가슴이 생겨서 도무지 끝이 보이지 않는 수유의 쳇바퀴를 함께 돌릴 수 있으면 좋겠다고 생각할 때 외에는 한동안 가슴과 남편을 연관시켜본 적이 없었다. 그런데 프랑스 엄마들은 출산 직후, 혹은 출산 전부터 이런 가르침을 실천한다.

여기 미국 엄마들은, 대략 15년간 아이 옆에 엄마가 붙어 있지 않으면 아이의 지능이 낮아지거나 끔찍한 알레르기가 발생하거나 비만이가 되거나 인생 전반에 걸쳐 낙오자가 될 수 있고, 최악의 경우 연쇄살인범이 될지도 모른다는 경고에 시달린다. 프랑스 엄마들은 아이의 애교에 넘어가 자기 자신을 희생하는 순간 부부 관계, 몸매, 나아가 결혼생활까지 망가질 수 있다는 지혜를 전수받는다. 미국 엄마인 나는 모유 수유를 절대적으로 지지하는 사회 분위기에 이미 익숙해졌기 때문에 프랑스 스타일을 100% 받아들일 생각은 없다. 하지만 프랑스 아이들의 학업 성취도가 미국 아이들보다 훨씬 높다는 역설적인 사실은 짚고 넘어가야겠다. 미국과 영국에서 소아 비만이 골칫거리라는 사실까지 언급할 여유는 없다.

또 프랑스 학교 급식에 밀 대체 곡물인 스펠트로 만든 크래커를 낸다는 얘기를 따로 들어본 적이 없으니, 모유 수유 기간이 짧다고 해서 프랑스 아이들이 밀가루에 유난히 민감한 체질로 변하지도 않는 것 같다. 어쨌건 프랑스에서는 아이가 태어나는 순간부터 확실히 선을 긋는다고 결론지을 수 있다.

가슴과 남편의 문제는 또 어떤가? 여성 월간지의 커버스토리처럼 들릴 우려를 무릅쓰고 말하자면, 이는 간과할 수 없는 문제다. 사랑스런 아기를 위해 모든 희생을 감수하다가는 여자로서의 매력을 되찾기 어려워진다. 그런데 미국인들은 좋은 부모 콤플렉스에 사로잡혀 자신의 인생을 내팽개치고 아이에게만 헌신한다. 얼마 전 이웃의 한 엄마는 네 살배기 딸을 위해 솔기 없는 양말을 찾아 인터넷을 세 시간이나 뒤지느라 전날 밤 잠을 제대로 못 잤다고 하면서 이렇게 덧붙였다. "아이가 특히 발가락 부분에 솔기가 있으면 질색을 하거든요. 솔기 있는 신발도 싫어해요. 그래서 요즘 내가 플립플롭발가락 사이에 밴드를 끼워 신는 슬리퍼만 보면 환장을 한다니까요. 남편은 나 때문에 주말을 망쳤다고 열받아 있고…. 지금 정신이 없어요."

주말을 망쳐서 열받았다지만, 그 사건이 없었다고 그 부부의 주

말이 크게 달라졌을 것 같지는 않았다. 해결책은 있다. 아이가 솔기 있는 양말을 신게 만들면 된다. 무엇보다 기가 찼던 이유는, 불과 몇 주 전 그 엄마가 똑같은 이유로 자기 남편을 헐뜯었기 때문이었다. 그 양말을 안 신는 딸을 위해 가장 안전한 카시트를 골라야 한다며 몇 시간에 걸쳐 엑셀 파일에 카시트 모델 비교표를 만들었다나? 이 부부는 둘만의 시간이 절실한 상태다.

자, 다시 가슴 얘기로 돌아가자. 프랑스 엄마 네 명과 모유 수유에 관해 수다를 떨다가 젖을 얼마 동안 먹였냐고 물은 적이 있다. 그러자 프랑스 엄마들은 도무지 이해가 안 간다는 듯한, 좀 더 정직하게 말하면 '끔찍하다'는 듯한 표정을 지었다. 그 자리에 모인 엄마들 중 6개월 이상 젖을 먹인 엄마는 나 외에 딱 한 명뿐이었다. 그녀는 "1년간 휴직을 했는데 시간이 어찌나 빨리 지나갔는지…"라고 마치 변명하듯 설명했다. 나머지는 모두 석 달 안에 수유를 중단했다. 놀랍지는 않다. 서구에서 프랑스인은 모유 수유 기간이 가장 짧은 편에 속한다. 나는 우나에게 15개월, 대프니에게 18개월 동안 젖을 먹였다. "18개월? 18개월? 설마 그럴 리가. 8개월이겠지!" 프랑스 엄마들은 이렇게 소리를 질러댔다.

충격에 빠진 프랑스 여인들에게 이유를 설명하느라 이번엔 내가 변명을 늘어놓는 모양새가 됐다. 본래는 대프니도 15개월 만에 젖을 떼려 했다. 한 아이에게 다른 아이보다 모유를 더 오래 먹였다가 피아노 영재가 되거나 10대에 심장 수술을 하는 천재 의사가 되기라도 하면 일찍 젖을 뗀 아이로부터 원망을 들을까봐 염려했기 때문이다. 하지만 15개월을 다 채웠는데도 대프니는 당최 젖을 포기하려 하지 않았고, 결국 석 달을 연장할 수밖에 없었다. 프랑스 친구들은 이를 전혀 이해하지 못했다. 프랑스 부모들을 인터뷰할 때마다 반복적으로 느끼는 바였지만, 내가 마치 정신 나간 엄마 같았다. 당시 그녀들이 기막혀했던 이유가 내 모유 수유 기간이 너무 길었기 때문인지, 아니면 큰딸이 성인이 된 뒤 수유가 불공평했다며 섭섭해할까봐 고민했기 때문인지 잘 모르겠다.

당연히 수유를 중단하려다 겪었던 수많은 실패를 털어놓지도 못했다. 젖을 말리려고 나 혼자 사흘간 여행을 떠난 적도 있고, 젖꼭지와 느낌이 비슷할 듯한 작은 과일을 쥐어보기도 했으며, 대프니가 협조적으로 나올 때마다 인형을 사주기도 했다. 하지만 다 소용없었다. 아이는 나보다 훨씬 집요했다. 젖을 놓고 우리 모녀가 벌였던 악전고투를 돌이켜 보면 일정한 패턴이 발견된다. 사흘간의 나 홀로 여행에서 돌아왔을 때 대프니는 괴력을 발휘하여 나를 바닥에 주저앉히더니 내 셔츠를 끌어올렸다. 먹고 살겠다고 안간힘을 쓰는 젖먹이를 보니 그저 웃음만 나왔다. 1년이 넘도록 아이의 젖 공급원이었던 내 몸을 온전히 되찾겠다는 시도가 실패로 돌아갔음을 인정할 수밖에 없었다. 이런 상황에서 단호하게 뜻한 바를 밀고 나가는 프랑스 엄마와 달리 나는 아이가 그토록 바란다면 정말로 필요하기 때문일 것이라고 스스로를 합리화했다. 하지만 이런 얘기를 도저히 그들과 공유할 수 없었다. 했더라도 이해하지 못했을 것이다. 아니, 경악을 금치못하며 나를 한심하다고 생각했을 확률이 높다. '왜 아이가 결정권을 쥐게 내버려 둘까?

정말, 왜 그랬을까…?

젖이 나오지 않거나 아기가 젖을 잘 빨지 않을 때 미국 엄마들이 느끼는 고통과 절망도 프랑스 엄마들에게는 낯설다. 모유 수유를 해야 좋은 엄마라는 강박증 따위는 프랑스에 없다. 프랑스에서는 모유 수유를 하지 않는 엄마보다 생후 석 달이 지나도록 젖을 물리는 엄마를 더 이상하게 여긴다. 일부 프랑스 엄마들이 용기를 짜내어 계속 젖을 물리기도 하지만 눈총과 혀 차는 소리, '아이와 엄마뿐만 아니라 다른 가족까지 망치는 지름길'이라는 반갑지 않은 잔소리 등을 피해 몰래 수유한다는 이야기도 심심찮게 들었다. 프랑스인들은 그런 면에서 좀 가혹하다.

젖이 잘 나오지 않는다며 비통해하던 한 미국 친구가 생각난다. '세상에서 제일 좋은 엄마'가 되고 싶어 용을 쓰는데 마음같이 되지 않는다고 늘 울상이었다. 그녀는 모유 수유를 포기하기 전 마지막으로 '세계 모유 수유 장려모임' 회원 둘을 집으로 초대해 상담을 했다. 상담이 끝나갈 무렵 내 친구는 더 큰 열패감에 사로잡히고 말았다. 젖은 나올 생각을 안 하는데, 모유 수유를 장려한다는 분들께서는 아기를 건강하게 키우고 싶으면 어떻게든 젖이 나오게 할 방법을 찾으라며 불안감만 키워놓고 간 것이다. 현관을 나서기 전 침대가 너무 작다는 참견도 잊지 않았다. 친구의 침대는 흔히 사용하는 퀸 사이즈보다 작은 더블 사이즈였는데, 수유하기에는 충분치 않나?

분유를 먹여야 했던 내 친구에게 그런 죄책감을 굳이 안겨줄 필요가 있었을까? 프랑스 스타일에 정면으로 위배된다. 프랑스인들도 주저 없이 의견을 피력하지만 그렇다고 부당하게 비판하진 않는다. 아기가 두 돌이 지날 때까지 어쩔 수 없이 젖을 먹인 또 다른 친구는 모유 수유와 관련해서 '이렇게 하면 그날로 끝장난다' 또는 '이렇게 하지 않으면 그날로 끝장난다'는 식의 훈수가 지긋지긋하다고 했다. 아기에게 가장 좋은 것과 여자로서 가장 좋은 것 사이에서 한 가지만을 택하라는 식이다. 젠장! 그렇게 날카롭게 서로를 깎아내리지 말고, 엄마의 선택권을 그냥 존중하면 어떨까?

본론으로 돌아가자. 분명히 젖을 너무 오래 먹이면 이상해 보인다. 몇 년 전 비행기에서 좀 불편한 장면을 목격했다. 네 살쯤 돼 보이는 아이가 여전히 엄마 젖으로 식사를 대신하는 듯했다. 아이는 엄마에게 젖을 조금만 달라고 졸랐고, 당황한 엄마는 공공장소에서 젖 먹이는 문제로 이미 여러 차례 얘기를 나눈 적이 있는지 아이를 필사적으로 밀쳐내며 속삭였다. "지금은 안 돼. 엄마가 뭐라고 했지?" 결국 아이는 이렇게 외쳤다. "그럼 그냥 한 번 보기만 하면 안 돼?" 프랑스에선 돌 지난 아이에게 젖을 물리는 행위가 외설적일 뿐만 아니라 아동 학대에 가깝다고 생각한다. 그날 그 모자가 탄 비행기가 에어프랑스가 아니라 다행이었다.

이 분야에서 프랑스 여성들의 든든한 지원자가 되어주는 공인이 하나 있다. 게다가, 철학자다! 그렇다. 프랑스에서는 철학자라는 직업으로 생계를 꾸려나가면서 심지어 대중적인 인기도 누릴 수 있다!

그렇게 프랑스인들이 열광하는 여류 철학자 엘리자베스 바댕테르 Elisabeth Badinter를 접하고 나니 프랑스 여성들이 모유 수유에 있어 미국 여성들과 왜 그토록 생각이 다른지 좀 더 명확하게 이해할 수 있었다.

바댕테르는 오랫동안 프랑스 여성의 사회적 지위를 보호하기 위해 노력을 기울였다. 그녀는 독자층도 무척 넓고 두텁다. 2010년에 출간된 저서 《갈등 : 아내이자 엄마Le conflit : la femme et la mère》는 동네 슈퍼마켓에서도 팔았다. 바댕테르는 프랑스 여성들이 수세대에 걸쳐 구축한 사회 구성원, 전문 직업인으로서의 입지를 강화하기 위해 성전을 치르는 중이다. 아직도 프랑스 엄마들의 모유 수유 기간은 미국과 영국 엄마들보다 훨씬 짧지만 그럼에도 바댕테르는 프랑스에서 스멀스멀 싹트고 있는 '자연주의 육아' 경향을 염려한다. 그녀는 모유 수유를 해야 한다는 압박에 정면으로 맞설 뿐만 아니라 이유식을 일일이 직접 만들고, 천 기저귀를 써야 좋은 엄마라는 인식이 번지고 있는 세태를 경계한다. 이런 부담이 가중되면 여성은 아이와 가정에 얽매일 수밖에 없다고 지적한다. 시몬 드 보부아르Simone de Beauvoir의 재림이다.

미국 엄마인 내 눈에는 바댕테르가 비약이 심하고 지나치게 과격하며 그래서 좀 무시무시해 보이기도 한다. 하지만 이렇게 저돌적인 페미니스트가 미국에도 필요하겠다는 생각도 든다. 나 역시 18개월 동안이나 젖을 먹이고 싶지는 않았으니까. 그러나 수유를 끊어버릴 배포도 없었다. 여성들이여, 주변의 압력과 죄책감 때문에 나와 같은 우를 범하지 말기 바란다. 모두 각자의 삶이 있다. 그 삶을 지키고 싶다면 강해져야 한다.

여기 조금은 논란이 될 수 있는 조언 몇 가지가 있다. 대다수 프랑스 엄마들은 젖을 떼기 위해 특단의 조치를 취해야 하는 상황에 봉착하지 않는다. 생후 2~3개월이면 젖을 떼니 무슨 저항에 부딪히겠나. 그래도 예외적으로 고집 센 아기를 둔 프랑스 엄마들을 어렵게 찾아 비결을 취재했다.

- 젖꼭지와 그 주변 반경 1센티미터 부위에 요란하게 보디페인팅을 해서 아이를 혼란스럽게 만들고 젖을 빨겠다는 욕구를 꺾는다.
- 젖꼭지에 후추를 뿌리거나 마늘을 문지른다.
- 아기가 배고파서 혹은 지쳐서 젖을 찾지 않도록 제때제때 뭔가를 먹인다.
- 젖을 찾을 때 주저 없이 고무젖꼭지를 물린다.

네 가지 중 앞의 두 가지는 내가 동조할 수 없는 사항이다. 어쨌든 프랑스인과 미국인의 관점 차이는 살펴볼수록 재미있다. 우리 집에 놀러왔던 한 프랑스 여성은 이렇게 말했다. "저 커다란 침대를 치우고 작은 더블 베드로 바꾸면 아마 부부 관계 횟수가 늘어날 텐데." 내가 워낙 좋아하던 침대라 이 조언을 놓고 몇 주간 고민이 이어졌다. 그런데 나 말고 아이들도 이 침대를 좋아한다는 데 문제가 있었다.

프랑스 부모들이 모유 수유를 우리보다 쉽게 중단할 수 있는 이유 중 하나가 아마 아기를 침대에 들이지 않기 때문일 것이다. 미국에서는 '잠자리 훈련'이란 말이 '모유 수유' 혹은 '투견'을 능가하는 논란을 불러일으키는데 말이다. 프랑스에서는 아기 재우는 방법을 놓고 논쟁이 벌어지지 않는다. 그저 정해진 시간에 정해진 잠자리에 들도록 습관을 들일 뿐이다. 우나를 낳았을 때는 코엔 박사의 육아 서적을 탐독했던 터라 이 문제만큼은 완벽한 프랑스 스타일로 해결할 수 있었다. 남편과 나는 생후 4개월이 된 우나를 상대로 작전명 '콜드 터키&와일드 터키('콜드 터키'는 마약중독자가 갑작스레 약을 끊었을 때 느끼는 불쾌감이고, 와일드 터키는 미국의 유명 버번위스키 브랜드다 - 옮긴이)'를 감행했다. 그때까지 하루도 빼놓지 않고 우리 침대에서 함께 재웠던 우나를 저녁 7시 45분이면 아기 침대에 눕히고 이튿날 아침 6시까지 꺼내주지 않았다. 와일드 터키 버번위스키가 우리의 결심이 흔들리지 않도록 도와줬다. 첫째 날 밤 나는 아기의 울음소리에 잔뜩 신경이 곤두서서 위스키를 한 모금도 제대로 넘기지 못했다. 물론 남편은 꿀꺽꿀꺽 잘도 마셨다. 셋째 날 밤이 되자 나도 위스키를 술술 잘 넘겼고, 우나는 11시간 동안 깨지 않고 잤다. 아, 우나에게 젖을 먹이고 난 뒤에야 위스키를 입에 댔으니 오해는 하지 마시길! 아무튼 그 이후로 우나의 잠자기 신공은 계속 유지됐다.

늘 그렇듯이 대프니는 우나와 달랐다. 일단 그 아이는 생후 6개월이 될 때까지 우리 침대에서 재웠다. 코엔 박사는 2개월령에 훈련을 시작하라고 조언했지만, 대프니가 내 인생의 마지막 아기라는 생각에 마음이 약해졌던 것 같다. 아니면 종일 아이와 씨름하느라 녹초가 되어 아이 울음을 견뎌낼 기력이 없었기 때문인지도 모르겠다. 어쨌든 그때 나는 별로 프랑스적이지 못했고, 그 대가는 혹독했다. 적절한 때에 자기 침대로 보냈어야 우리 식구 모두 잠자리가 편안했을 것이다. 남편과 내가 슈퍼킹 매트리스를 온전히 되찾기까지는 정말 오랜 시간이 걸렸다. 그러다 프랑스에서 한 저녁 파티에 참석하면서 아이와 진작 경계를 정해두었더라면 삶이 훨씬 풍요로워졌을 것임을 깨달았다. 처음 파티가 열리는 집에 도착했을 때는 집주인의 아이들이 자지 않고 깨어 있어서 떨떠름한 기분을 감출 수가 없었다. 귀엽고 예의 바른 아이들이지만 이제 겨우 두 살, 다섯 살이니 곧 어른들을 난감하게 만드는 상황이 벌어지리라 예측했다. 게다가 꼬마들은 파자마 차림이었다. '부모 중 한 명은 애들 잠자리 시중을 드느라 코빼기도 안 보이겠군'이라는 확신이 들려는 찰나, 내가 완전히 헛짚었음을 알게 됐다. 양치질을 할 때만 엄마나 아빠의 도움을 받았을 뿐, 꼬마들은 이를 닦자마자 스스로 침대에 들어갔다. 그때까지 부모가 번갈아가며 테이블에서 일어나기는 했는데, 떠나 있었던 시간은 다 합쳐도 10분이 채 안 됐다. 이 무슨 조화인가 싶었다. 우리 집에서 저녁 파티를 할 때면 나는 꼭 아이들을 재우러 갔다가 두 시간은 훌쩍 지나서 손님들이 하나둘 일어날 때쯤에야 다시 나타났는데…. 답답한 노릇이었다.

최근에는 프랑스 스타일에 좀 더 가까워지려고 단호한 태도를 취하고 있다. 일단 자장가 레퍼토리를 여덟 곡에서 아이당 한 곡씩,

총 두 곡으로 대폭 줄였다. 아, 그리고 책 읽어주는 시간도 12분으로 제한했다. 다만 반드시 저녁 8시에 시작해야 하고, 이 시간을 놓치면 그날 책 읽기는 없다. 나는 나름의 교훈을 얻었으며, 부단한 노력 끝에 잠자리 습관을 올바로 들이는 데 성공했다고 자부하고 있었는데…. 여전히 우리 방식은 프랑스 스타일이 조금 가미됐을 뿐 진국은 아니다. 그래도 나는 내 친구보다 훨씬 나은 편이다. 그 친구는 밤마다 남편과 아이들을 재우러 아이 방으로 들어가면서 휴대폰을 꼭 소지한다고 털어놨다. 엄마 아빠가 없으면 잠들기를 거부하는 아이들 때문에 계속 침대 옆을 지키고 앉아 서로 휴대폰 문자메시시로 내화를 나눈다는 것이다.

예진 그 프랑스 부부가 조화라도 부리듯 신속하게 아이들을 재우고 부재를 미처 눈치채기도 전에 테이블로 돌아왔을 때 나는 비결을 캐물었다. "애는 이미 침대에 들어간 상태에서 아무리 울어도 득이 되지 않는다는 걸 알아. 그런데 왜 울겠어? 아주 가끔 울 때가 있는데 그래도 달래주러 가진 않아. 그랬다간 매일 울 테니까. 큰애는 이제 밤 시간에는 아무도 놀아주지 않는다는 사실을 완전히 인지했어. 밤은 어른들끼리 있는 시간이니만큼, 손님이 놀러 오지 않는 날이라고 해도 엄마 아빠가 반겨주지 않지."

와인이 필요한 순간이다.

'반겨주지 않는다'는 말이 좀 냉정하게 들릴지 모르겠다. 번역의 문제인가 생각할 수도 있지만, 아니다. 프랑스인들은 이를 냉정하다고 여기지 않는다. 프랑스에서는 누구나 아이 때부터 이렇게 교육받고 자란다. 이 비결을 조금만 더 일찍 알았더라면…. 어쩌다 잠시 잠깐 남편과 단둘이 보낼 수 있는 시간이 생겼다고 복권에 당첨된 듯 기뻐하진 않았을 것이다. 프랑스 부모들은 밤마다 부부끼리 호젓하게 와인 한 잔 기울이는 시간이 반드시 있어야 한다고 생각한다. 당연히 프랑스 아이들은 정해진 시간에 바로 취침에 들어간다.

미국 엄마인 나는 잠이 학습 능력부터 비만까지 아이의 인생 전반에 영향을 미친다는 연구 결과에 일일이 집착한다. 모유 수유 문제와 크게 다르지 않다. 지금도 어쩌다 아이들을 저녁 8시에 침대에 눕히는 데 성공한다 해도 최소한 30분은 실랑이를 벌인다.

물을 달라는 단순한 주문부터 포유류에 관한 갑작스런 질문, 뜬금없이 다른 잠옷을 입겠다는 고집, 다리를 주물러달라는 긴급 요청과 애초 신청한 자장가를 부르지 않았다는 지적까지 돌발 상황은 다양하다. 특히 대프니의 꼼수를 다 적자면 몇 페이지를 할애해도 부족하다. 이런 취침 시간 실랑이의 싹을 일찌감치 잘랐다면, 다시 말해 프랑스 스타일을 진작 도입했다면 우나와 대프니는 매주 네 시간은 더 잘 수 있었을 것이다. 이 주당 네 시간의 수면은 아이들이 장차 학교에 들어갔을 때 프랑스 스타일로 길들이는 과정에서 유용하게 쓰이게 될 것이고, 또 남편과 내가 오붓한 저녁 한때를 보낼 수 있도록 허락해줄 것이다. 그야말로 '윈-윈' 아닌가!

아이들 연령에 따라 조금씩 다르지만 내 프랑스 친구들이 정해놓은 아이들의 취침 시간을 살펴보면 평균 저녁 8시 30분쯤이다. 이 시간이 되면 아이들은 스스로 자러 가고 부모들은 재워주기 위해 따라 일어서는 법이 없다. 유혹에 흔들릴 때마다 내려다볼 수 있도록 '일어서지 말자!'라는 문구를 팔뚝에 문신으로 새겨버려야 할까?

분명 프랑스 부모들과 비슷한 저녁 시간을 보내고 싶었는데 우리 가족에게 내 의도를 확실히 전달하지는 못한 것 같다. 대프니가 잠든 지 두 시간 만에 깨어나 내 침대로 들어오는 일상이 매일 밤 되풀이됐다. 대프니의 '침대 이동 기법' 중 몇 가지만 소개하면 다음과 같다.

"엄마 침대가 내 침대보다 보드라워. 불공평해!"

"내 침대에서는 잠이 안 와."

"엄마랑 같이 못 자게 하면 내 마음에 상처가 될 텐데."

"엄마 침대에선 미리기 안 아파."

물론 다 말도 안 되는 핑계다. 시시때때로 대프니의 침대에 같이 누워 자본 사람으로서 말하지만 그 침대는 아무 문제가 없다. 다만 아이가 자는 내내 류머티즘에 걸린 하이에나처럼 몸부림을 치니 나만 죽을 맛이다. 문제가 없어도 아이 침대는 아이 침대지 내 침대가 아니다. 대프니 침대에는 곰돌이 이불과 동물 인형이 가득하고 내 침대에는 남편이 있다. 나는 의지가 약했지만 여러분은 나와 같은 실수를 하지 말기 바란다. 아이와 함께 자고 싶어 안달이 난 상태가 아니라면, 아이에게 틈을 보여서는 안 된다. 틈을 보이는 순간 속절없이 끌려가게 되어 있다.

프랑스 가정에서 아이들은 지정된 잠자리를 지켜야 한다. 프랑스에서는 아이가 어른이라도 된 양 규칙을 좌지우지하도록 내버려 두지 않는다. 한편 내가 사는 지역에서는(미국 서부에는 내 여동생이 있고, 중부에는 내 친구들이 있으니 그 지역도 포함해서) 어른을 지배하고 명령하는 꼬마 독재자를 쉽게 볼 수 있다. 우리 부부도 괴성과 생떼로 어떻게든 원하는 바를 얻어내고야 마는 대프니에게 '리틀 무스'란 애칭을 붙여준 적이 있었다. 무스는 '무솔리니'를 줄인 말이다. 그때는 아이의 그런 행동이 귀여운 줄 알았다.

대프니는 부모를 마음대로 다루는 데 일가견이 있었다. 한 가지예를 들자면, 아이의 명령이 떨어질 때마다 아이 침대 옆 바닥에 누운 채로 팔을 이리저리 비틀어 뻗어서 손을 잡아주다 보니 내 팔은 기형이 될 것만 같았다. 반면 프랑스 아이들은 아이로서의 권리만 행사한다. 그중 하나가 부모에게 문명 시민이 되는 법을 배울 권리다. 즉, 아이와 어른의 경계가 확실하다. 파리 시내를 돌아다니다 보면 아이들은 거리에 나올 수 없게 법으로 정해놓았나 하는 생각이 들 정도다. 학교 수업이 없는 수요일을 제외하고 평일에는 늘 그렇다.

물론 그런 금지 따위는 없다. 하지만 오전 8시 30분부터 오후 4시 사이에 길거리에서 아이들을 찾아보기란 하늘의 별 따기다. 파리에 사는 한 미국인 친구가 제7구에 가면 눈에 띌 것이라고 했지만 직접 확인은 못했다. 제7구는 부유층이 모여 사는 동네라 탁아소 대신 개인 보모를 이용하기 때문에 그럴 것이라 추측한다.

파리의 거리를 보면서 영화 〈치티 치티 뱅 뱅Chitty Chitty Bang Bang〉에 나오는 불가리아라는 마을이 계속 떠올랐다. 아이들이 모두 음침한 지하 동굴로 잡혀가 거리가 텅 빈 마을인데, 파리에도 그 비슷한 유괴범이 있지 않은가 자꾸 의심하게 됐다. 물론 그런 유괴범 따위는 없다. 파리 아이들은 학교나 유치원, 정부 보조 탁아소에 무사히 잘 있다. 프랑스 엄마들은 대부분 출산 뒤 직장으로 돌아간다. 돌아가기 쉽도록 정부 시책이 잘 마련되어 있다. 내가 아는 미국 엄마들은 대부분 아이를 낳고 전업주부로 변신했다. 일부러 그러려고 했기 때문이 아니라 직장을 다니면서 누군가에게 아이를 맡기자니 배보다 배꼽이 컸기 때문이었다. 뭐, 불평을 늘어놓는다고 당장 개선될 수 있는 부분이 아니니 이쯤 해 두자.

개인과 사회의 관계와 관련해서 미국은 프랑스와 대척점에 서 있다 해도 과언이 아니다. 프랑스에서는 '아이 하나를 키우는 데 마을 전체가 필요하다'는 격언을 실제 믿고 실천하기 때문에 남의 아이라 해도 잘못을 저지르면 주저 없이 야단친다. 하지만 미국에서는 철저히 개인주의를 고수한다. 프랑스 본느빌에서 기차를 탔다가 두세 시간이 지난 뒤에야 세 줄 뒤에 두 살, 여섯 살 형제가 앉아 있었다는 사실을 발견하고 까무러치도록 놀랐던 기억이 난다. 자리에서 늘어지게 자다가 눈을 떴는데, 어린 형제가 아버지로 보이는 남자와 함께 조용히 통로를 지나가고 있지 않은가. 그때가 오후 3시였는데, 세 부자는 잠든 승객들에게 방해가 될까봐 서로 귓속말로 속삭이고 있었다. 수면이 프랑스에서 굉장히 중요한 문제라는 사실을 그때 다시 한 번 깨달았다. 나는 그들이 지나가고 나서 다시 잠에 빠져들었다. 비몽사몽간이었지만 세 부자의 귓속말은 또렷이 기억난다. 그 두 아이가 두 시간 내내 조용히 귓속말로 속삭인 탓에 잠결에도 들렸기 때문이었을까? 아무튼 나에게는 엄청난 깨달음의 순간이었다. 그 이후 나도 딸들에게 주변 사람들에 대한 배려를 심어주고자 노력을 기울이고 있다. 주말에도 새벽부터 법석을 떨어서 아이들 아빠가 8시까지 자기도 힘드니 아직 갈 길이 멀긴 하지만, 불과 1년 전까지만 해도 생각조차 못했던 '너희만 생각해서는 안 된다'는 훈계가 요즘 내 입에 많이 오르내린다.

작가 레이몽드 카롤Raymonde Carroll은 프랑스 스타일과 미국 스타일 육아법의 차이를 다음과 같이 설명했다.

"프랑스 스타일 육아법은 어떤 면에서 땅을 새로 갈고 잡초를 뽑고 씨앗을 뿌려 다른 정원과 완벽한 조화를 이루는 아름다운 정원을 가꾸는 과정과 비슷하다. 즉, 목표하는 바가 뚜렷하고 그 목표를 이루기 위해 어떤 조치를 취해야 하는가를 확실히 안다는 뜻이다. 그 조치만 잘 취하면 씨앗의 성장을 방해할 만한 요소는 없다. 토질 정도가 변수로 작용할 수 있다고 할까? 그런데 미국 스타일 육아법은 자라서 무엇이 될지 모르는 정체불명의 씨앗을 무조건 땅에 뿌리는 행위에 가깝다. 그러면서 비료와 물, 공기, 공간, 빛을 완벽히 조절하고 공급함은 물론이요, 때로 지지대까지 세워 씨앗이 자랄 수 있는 최상의 조건을 마련해주려 애쓴다."

이 무릎을 치게 만드는 비유가 내 머릿속에 각인됐다. 내가 프랑스 아이들을 관찰하기 위해 종종 찾는 장소는 파리 센 강 리브고슈의 뤽상부르 공원이다. 공원 한가운데에는 낡아서 삐걱거리는 회전목마가 있다. 어느 날 오후 이 회전목마에서 완벽히 대치되는 미국 스타일과 프랑스 스타일의 정수를 동시에 목격하는 행운을 잡았다. 오후 3시쯤 되었나? 당연히 돌아다니는 아이는 거의 없었다. 회전목마는 공교롭게도 미국 아이 하나와 프랑스 아이 하나만 태운 채 돌아가고 있었다. 둘 다 네댓 살 정도 돼 보였다. 뤽상부르 공원의 회전목마는 파리 오페라하우스를 지은 건축가 장 루이 샤를 가르니에Jean Louis Charles Garnier가 19세기에 만든 유서 깊은 놀이기구이다. 아이가 작은 막대기를 하나씩 쥐고 있다가 회전목마가 한 바퀴 돌 때마다 관리원이 들고 있는 놋쇠 고리를 막대기에 끼워 올리는 게임도 함께 즐길수 있다. 막대기와 놋쇠 고리도 19세기 개장 당시부터 사용한 유물로 보인다. 한마디로 구닥다리 게임이다. 그런데 미국 부모는 잔뜩 신경을 곤두세운 채 어린 왕자가 한 바퀴를 돌아 모습을 드러낼 때마다 "할 수 있어, 토비!" "그렇지, 그렇게 하면 돼!" 혹은 "잘했어, 우리 아들!"과 같은 환호를 보냈다.

그러다 문제의 토비가 아무도 타고 있지 않은 바로 옆 목마에 침을 뱉자 부모의 환호성이 잦아들었다. 그렇지만 야단을 치지도 않았다. 프랑스인들은 아이의 잘못이 고스란히 부모의 책임이라고 생각한다. 아니나 다를까, 프랑스 아이를 데려온 할머니 할아버지는 당장 미국 부모를 향해 도끼눈을 치떴다. 도끼눈을 거둬들인 뒤에도 노부부는 수군수군 공론을 이어갔다. 그 후 이 노부부는 손주에게 딱 한 번 반응을 보였다. 내 눈에는 띄지 않았는데, 아이가 무슨 잘못을 했는지 할머니가 갑자기 팔을 뻗어 손주의 손을 찰싹 때린 것이다. 그때 내 입에서 픽 하고 웃음이 비어져 나왔던 것 같다. 무례하기는 했지만, 마치 내가 지켜보고 있는 줄 미리 알고 합을 맞춘 듯한 이 슬랩스틱 코미디 같은 상황에 어쩔 수가 없었다. 프랑스에서 꽤 많은 시간을 보낸 뒤라 미국 부모들의 태도가 내 눈에도 거슬렸고, 부모의 지나친 관심이 부담스러워 침 뱉기를 시도한 듯한 그 토비도 불쌍했다. 무엇보다 멀쩡히 회전목마를 잘 타고 있다가 기습적으로 매를 맞은 프랑스 아이가 안타까웠다. 내 생각에는 그 할머니가 침 뱉은 '양키 꼬마'를 때리고 싶은데 도저히 그럴 수는 없으니 자기 손주를 희생양 삼아 본보기를 보인 것 같다. 뼛속까지 프랑스적 관념이 자리 잡은 그 할머니로서는 도저히 그냥 넘어갈 수 없는 행동이었을 테니까.

프랑스와 미국 육아법이 얼마나 다른지를 잘 보여준 일화였다. 사실 '육아'에 해당하는 프랑스 단어를 찾기도 힘들다. 아이 키우느라 중압감을 느끼거나 스트레스를 받거나 젖 먹던 힘까지 짜내지는 않으니 그 지난한 과정을 지칭하는 용어가 따로 필요하지 않을 수도 있겠다. 프랑스의 대표적인 문화 상품 매장인 프낙Fnac 지점에 들러보니 청소년용 철학 서적 코너가 육아 서적 코너보다 훨씬 컸다. 육아서적은 코너라기보다 그냥 테이블 하나짜리 매대였다. 비슷한 개념을 표현하고자 할 때 프랑스인들은 '육아' 대신 '교육L'éducation'을 선호한다. 단어의 선택에서도, 아이가 어른들의 세상에 적응할 수 있도록 훈육을 하는 프랑스 부모들과 아이 중심의 세상에서 생존하고자 안간힘을 쓰는 미국 및 영국 부모들의 차이가 고스란히 드러난다.

가정의 중심은 어른

출산 이후 '어른들 세상 속 삶'은 내게 그저 남의 얘기였다. 엄마가 된 순간부터 눈앞에 보이는데 손에 잡에 잡히지는 않는 신기루 같은 느낌이었다. 프랑스 스타일을 시도한 덕에 최근 들어 겨우 그 수렁에서 빠져나오기는 했지만 말이다.

우나를 낳고 처음 복직했던 날이 아직도 생생하다. 금요일 퇴근 시간, 유축기가 든 서류 가방을 들고 사랑스런 아기에게 돌아가기 위해 지하철역으로 향하는데 복잡한 사거리 횡단보도에서 신호를 기다리게 됐다. 신호가 바뀌기를 기다리는 동안, 금요일 저녁에 다시는 친구들과 약속을 잡을 수 없게 됐다는 생각이 퍼뜩 밀려왔다. 어찌나 우울하고 비참하던지 금요일 저녁 러시아워 인파에 이리저리 떠밀리면서 그서 우두기니 서 있었고, 눈앞에서는 칵테일을 홀짝이는 예전의 내 모습이 서서히 사라져갔다. 다음 순간 우울함이 죄책감으로 변했다. 불쌍한 아기가 집에서 나를 기다리고 있는데 어떻게 우울하다는 생각을 할 수 있었는지…. 이제는 일상이 돼버린 정신적 널뛰기를 마치자 각성하게 됐다. 나는 엄마도 아니다! 여기 이러고 서 있느라 아기와 함께 보내야 할 소중한 순간이 낭비되고 있지 않은가. 그때부터 지하철역까지 남은 두 블록을 거의 단거리 육상선수처럼 뛰었다.

이날을 기점으로 내 뇌에 모종의 화학적 변화가 일어났는지, 나는 아이와 가능한 한 많은 시간을 보내야 한다는 철칙을 고수했다. 결론부터 말하자면, 그러지 말기를 권한다.

프랑스에 있는 동안 10개월 된 아기를 둔 친구 실비와 함께 디스

코틱에 간 적이 있었다. 그런 아기를 두고 주말에 나와 춤을 추러 간다는 사실 자체가 존경스러웠다. 그런데 한 술 더 떠서 그녀의 모로코 출신 남편 카림이 아기를 데리고 고향에 갔다지 뭔가! 무려 2주 동안 머물다 온다고 했다. 2주! 혹시 아기가 보고 싶어서 가슴이 찢어지거나 걱정되지 않느냐고 물었더니 "글쎄, 별로. 왜 가슴이 찢어져야 하지?"라는 답이 돌아왔다. 당연히 그래야 한다는 법은 없다. 그저 내 미국식 사고방식의 한계였다.

그동안 딸들에게 헌신해야 한다는 강박관념과 죄책감 사이를 오가면서 얼마나 많은 시간과 에너지를 소모했는지…. 나 말고도 이런 고통을 당하는 미국 엄마들은 얼마든지 있다. 저널리스트 주디스 워너Judith S. Warner가 쓴 《엄마는 미친 짓이다Perfect Madness》는 이러한 문제점의 근본을 파헤친 역작이다. 워너는 이를 가리켜 '엄마 되기의 비밀'이라 칭했다. 우리 집 딸들을 다른 미국 아이들과 비교하면 그렇게 응석받이로 보이지 않는데, 프랑스 아이들과 비교하면 칼만 안 들었을 뿐 영화 〈위험한 정사Fatal Attraction〉의 여주인공이나 다름없다. 극 중 여주인공은 유부남인 남자 주인공에게 광적으로 집착하다 죽고 만다.

나 역시 평소에 우나와 대프니로부터 떨어져 혼자만의 시간을 갖고 싶다는 생각을 자주 했는데, 이 때문에 생긴 죄책감으로 인해 막상 떠나지는 못했다. 이런 악순환이 거듭되다 보니 늘 정신은 반쯤 나가 있고 사회생활, 직장생활, 심지어 결혼생활까지 위기에 봉착하게 됐다. 그러다 결혼 10주년을 맞던 날 처음으로 과감히 아이들을 떼어 놓고 짧은 여행을 떠났다. 결혼 5년째 되던 해에 첫아이를 낳았으니 무려 5년 만에 떠나는 '부부만의 여행'이었다. 늘 파리에서 적어도 일주일은 쉬다 오자고 말만 해놓고(알다시피 나는 프랑스라면 사족을 못 쓰는 여자) 정작 결혼기념일이 되면 바로 옆 뉴올리언스에 갔다 올 엄두도 내지 못했는데. 그 짧은 여행도 나에게는 쉽지 않은 결심이었기에 아이들을 맡아주겠다고 한 남동생 부부에게 그야말로 장문의 이메일을 남겼다. 그 이메일 내용을 여기 몽땅 옮기면 책 분량이 두 배로 늘어날까 봐 참는다. 뭐, 과장이 섞이긴 했지만, 어쨌든 '밑줄 쫙' 친 참고 사항이 한도 끝도 없이 이어지기는 했다.

당시 여섯 살과 네 살이던 우나와 대프니는 의사소통에 아무 문제가 없었으니 여벌의 옷이 어디에 있는지 충분히 알려줄 수 있었고, 남동생 부부가 굳이 유치원 커리큘럼을 자세히 알 필요도 없었다. 그런네도 나는 그 쓸데없는 내용을 꾸역꾸역 집어넣어 단편소설 한 편을 쓰느라 시간에 쫓겨 결국 화장품 가방을 놓고 떠났다. 더군다나 남동생 부부가 우리 집에 긴 시간 함께 머문 적도 많았으니 더더욱 쓸데없는 짓이었다. 모두 아이들을 떼어놓고 혼자 놀러간다는 내 죄책감이 빚어낸 결과였다. 게다가 여섯 살과 네 살은 아가가 아니다. 당시 내 상태를 좀 더 생생히 전달하기 위해 이메일 내용의 일부만 밝히자면 다음과 같다.

재우기 - 대프니는 유치원에서 낮잠을 자지 않기 때문에 늦어도 저녁 7시 30분에는 침대로 보내서 다음 날 아침 7시 15분까지 재워야 해.

그 정도 자야 컨디션이 괜찮아져. 너무 늦게 잠자리에 들거나 너무 일찍 일어나면 단단히 각오해야 할 거야. 그러고 나서 오후쯤 되면 아이가 미쳐 날뛰거든. 7시에는 취침 준비를 시작해야 7시 30분에 침대에 누일 수 있어. 우나는 동화책 《라모나Ramona》 시리즈 중 한 권을 읽어달라 할 거고, 대프니는 아무 책이나 한 아름 뽑아 들고 올 거야.

대프니가 통제 불능이라는 얘긴 했지? 재우기 정말 힘들어. 그동안 나는 아이들이 잠들기 전에 방에서 나오는 연습을 하고 있었어. 책을 읽어주고, 이불을 덮어준 다음 불을 끄고, 책장 위에 있는 꽃 모양 야간등만 켜놓고, 바닥에 140센티미터짜리 베개랑 핑크색 쿠션을 베고 누워서 노래를 한두 곡 불러줘. 그러고 나면 딱 3분만 더 있어준다는 원칙을 세웠어. 근데 베개에 머리를 대고 있으면 나른해져서 보통 10분은 더 누워 있게 되지…. 아무튼 3분이 지나면 일어나서 뽀뽀를 세 번 해주고 세 번 안아줘. 혹시 잠든 아이가 있으면 뽀뽀와 포옹은 생략해도 돼. 나올 때 문은 조금 열어둬야 해. 그때 대프니가 바로 졸졸 따라나올 확률이 50%야. 낮잠을 안 잔 날에는 바로 곯아떨어질 확률이 높지만, 아무튼 골치가 좀 아플 거야. 따라나오면 알아서 처리해. 나는 보통 다시 침대로 들어가라고 소리를 지르는데 너희가 목소리를 높이면 아이가 미친 듯이 울어젖힐 수 있어. 그러니 적당히 알아서 하고.

백미는 따로 있어. 대프니는 매일 밤 하루도 빼놓지 않고 주로 새벽 1시에서 3시 사이에 안방으로 뛰어들어 와. 그러면 나는 우나 침대로 가서 자고, 대프니가 제 아빠랑 아침까지 안방 침대에서 자는 거야. 너무 이상하게 생각하진 마. 남편이나 나나 그 통제 불능인 아이와 씨

가정의 중심은 어른

름할 기력이 없어. 그러니까 애 하나쯤은 데리고 잘 각오를 해야 해. 불행 중 다행으로, 대프니 침대도 꽤 편안해.

가슴을 짓누르던 죄책감이 새록새록 생각난다. 나와 동세대인 부모들, 특히 엄마들에게 그런 죄책감은 견디기 힘든 고통이다. 내 친구들 대부분이 그랬듯 나도 출산휴가가 끝나고 복직한 지 4개월쯤 됐을 때, 즉 첫아이가 6개월 됐을 때 직장을 그만뒀다. 아기를 보모에게 맡기는 비겁한 엄마가 될 수는 없다는 생각 때문이었다. '나 아닌 다른 사람에게 돈 주고 대신 키워달라고 하려면 뭐하러 애를 낳는지 모르겠다'는 말을 하도 많이 들어서 그런지 도저히 직장에 앉아 있을 수가 없었다. 게다가 고액 연봉자 축에 들지도 못했으니 차라리 내가 집에서 직접 아이를 키우는 편이 비용도 훨씬 적게 들었다. 사표를 내면서 헬스클럽 회원권도 포기했고, 드라이클리닝이 필요한 옷도 입지 않게 되었으며, 책이나 예술 등 여가 활동에 대한 관심도 완전히 사라졌다.

아이들을 동요 배우기 모임에 늦지 않게 데려다 주려고 전전긍긍하고, 우나에게 보습제를 제대로 발라줬나 걱정하느라 그런 호사를 누릴 여유가 없었다. 왜 그렇게 아이들 곁에 온종일 붙어 있어야 한다는 압박감에 시달렸는지 모르겠다. 정신 건강에도 좋지 않고, 우리 딸들이 커서 그런 엄마가 되기를 바라지도 않는다. 그렇지만 당시에는 책이든 블로그든 뭘 읽어도 내 죄책감을 자극하는 내용만 가득했다. 그런 구름이 걷히고 나니 좀 살 만하다. 그때부터 나도 누구를 만나든 '왜 여자들은 아이를 가지겠다고 결심하는 순간 정체성을 포기해야 하는가?'라고 반문하게 됐다.

프랑스 엄마들이 아이와 하루 이상 떨어져 있어도 걱정, 죄책감, 권태로움에 시달리는 경우가 드문 이유를 이제야 알 것 같다. 처음에는 프랑스인들이 특이체질이라서 직장에 나가고, 휴가를 떠나고, 부부끼리 와인을 기울이거나 저녁을 먹고, 시시때때로 조용한 휴식 시간을 갖는 등 개인적인 삶을 중요시하는 유전자를 타고나는 줄 알았다. 그런데 속사정을 알고 나니 체질 따위와는 상관없이, 산부인과 전문의부터 가톨릭 사제에 이르기까지 프랑스 사회 전반에 걸쳐 그런 신념이 깊게 자리하고 있었다. 프랑스인들이 '결혼생활에 충분한 시간을 투자해야 하고 육아에 짓눌린 삶을 살아서는 안 된다'고 믿으며 사는 동안, 나는 아이들을 위한 희생이 당연하다고 생각하고 있었다.

미국에서는 일단 아이가 들어서면 부모의 귀에만 잡히는 주파수를 통해 희생을 강요하는 메시지가 사방에서 날아오기 시작한다. 임신부들은 다음 문구를 귀에 못이 박히도록 듣는다. "당신의 아기는 최상의 환경에서 자랄 자격이 있다!" 마케팅 담당자들이 부모라는 사냥감의 지갑을 열기 위해 가장 흔히 사용하는 문구다. 기저귀 갈이대부터 공기청정기, 앞서 언급했던 물티슈 보온기에 이르기까지 가리지 않고 적용된다. 인터넷을 검색해보면 알겠지만, 어떤 아기용품을 고르려 해도 부모의 죄책감을 자극하는 이 문구를 피해갈 수 없다.

그런데 정말 내 아기에게 최고급 기저귀 갈이대가 필요한가? 나는 첫애를 낳고 값비싼 기저귀 갈이대를 샀다가 둘째가 생기기 전 남에게 줘버렸다. 침대에 매트를 깔고 기저귀를 가는 편이 훨씬 편하고 효과적이었기 때문이다. 그냥 아기가 굴러떨어질 염려가 없는 넓고 튼튼한 테이블에서 갈아도 아무 문제가 없다. 공기청정기는 뭐, 아기가 천식이라도 있는 경우 신중히 골라야 한다 치자. 그렇지만 기저귀 가방에 보디수트, 야간등까지 최고급이어야 한다고? 상품을 팔기 위해 혈안이 된 업체들은 어떻게든 부모의 죄책감을 자극하려 한다. 제대혈 사건을 기억하라! 신출내기 부모들의 등골을 빼먹는 이런 행위를 근절하는 법이라도 만들어져야 한다.

프랑스에서 아이를 키우며 사는 친구들은 그런 괴로움에 시달린 적이 없다고 한다. 미국 업체들의 마케팅 방식을 내가 뜯어고칠 수는 없는 노릇이지만, 트란실바니아 산골 아낙네가 일일이 손으로 수확한 삼으로 만든 유기농 목욕 수건을 구입하지 않았다고 해서 나쁜 부모는 아니라는 사실을 명확히 해두고 싶다. 내가 점점 엘리자베스 바댕테르 같은 소리를 한다고? 글쎄, 바댕테르는 일단 프랑스어를 썼겠지.

걱정은 대부분의 경우 쓸데없는 에너지 소모로 이어질 뿐이다. 나도 우나에게 신발 끈 매는 법을 제대로 가르치지 않았다며 스스로를 자책하던 때가 있었다. 집에서 신발 끈 매는 법도 배우지 않았냐며 아이가 손가락질받으면 어쩌나 걱정했지만 나 역시 어린 시절 신발 끈을 맬 줄 몰라 헤맸던 기억이 남아 있어 적당한 때를 기다리며 인내심을 비축하고 있던 중이었다. 그러던 어느 날 아이가 아빠에게 자랑을 늘어놓는 소리가 들렸다. 학교에서 선생님이 자기를 '반 최고 신발 끈 매기 선수'라 칭찬해주었고, 솜씨가 서툰 친구들에게 끈 매는 법을 가르쳐주게 됐다는 것이었다. 내가 나쁜 엄마라는 자괴감에 빠져 허우적대는 동안 아이는 스스로 신발 끈 매는 법을 터득했던 것이다. 바로 여기에 교훈이 숨어 있다.

처음 프랑스 육아법을 받아들이기로 결심하면서 다시 나만의 삶을 되찾을 수 있겠다는 희망에 부풀어 있었음을 부인하지는 않겠다. 저녁 외식에 남편과의 데이트, 친구들과의 외출, 혼자만의 쇼핑, 독서를 즐기며 내가 행복해지면 가정도 더 건강해질 것이라 믿었다. 그렇지만 막상 시작해보니 큰 노력과 부담이 뒤따랐다. 첫아이가 태어난 이래 내 머릿속을 떠나지 않았던 죄책감으로부터 벗어나기란 쉽지 않았다. 자신만의 취미생활, 사회생활을 즐기는 엄마가 되기란 희생만 하는 엄마 되기보다 더 어려웠다. 일단 우나와 대프니는 토요일 저녁 간간이 등장하는 베이비시터에게 강한 거부 반응을 보였다. 게다가 놀이터에서 엄마가 매의 눈으로 자신들의 일거수일투족을 지켜보는 대신 책을 읽고 있자 발끈했다.

그러나 아이들은 곧바로 변화에 적응했다. 그것이 세상의 순리다. 남편도 우나가 점심에 뭘 먹었는지, 동네에서 대프니보다 자전거 타기를 빨리 배운 아이가 누군지 같은 이야기만 듣다가 대화의 폭이 넓어지자 무척 좋아하는 눈치였다. 한데 정작 나는 미국 엄마답게 두더지 잡기 게임의 두더지처럼 하루에도 몇 번씩 불쑥불쑥 고개를 드는 불안 증세에 시달렸다. 제아무리 퓰리처상 수상에 빛나는 소설책을 들고 앉아도, 이 시간에 아이들과 찰흙 놀이를 하거나 여름방학 캠프를 알아봐야 하지 않나 조급해졌던 것이다. 그럴 때면 아이의 삶을 완벽하게 재단하겠다며 전전긍긍하다 지쳐서 나가떨어지는 법따위는 없는 프랑스 엄마 아빠들을 일부러 떠올렸다. 엄마 아빠가 유난을 떨지 않으면 아이들에게도 분명 이롭다.

프랑스에서 이 동네 저 동네 놀이터를 찾아다니며 배운 점도 많다. 미국 부모들은 놀이터에 가면 보통 아이들을 과잉보호하며 뒤꽁무니를 졸졸 쫓아다니거나, 치어리더라도 된 듯 아이를 향해 고래고래 응원의 메시지를 보낸다. 이들은 응원 도구 대신 디지털카메라를 흔들어댄다. 반면 프랑스 놀이터에서는 아이가 뛰노는 동안 어른들은 벤치에 앉아 책을 읽거나 대화를 한다. 아이의 일거수일투족을 놓치지 않으려고 신경을 곤두세우는 부모는 없다.

작년에 프랑스를 방문하면서, 놀이터를 관찰하겠다는 내 계획이 생각대로 진행될지 살짝 의구심이 들기도 했다. 애도 없이 혼자 놀이터에 와서 우두커니 앉아 있으면 부모들이 경계하지는 않을까? 미국 놀이터에서는 뛰노는 아이들이 각자 이떤 어른과 함께 왔는지 한눈에 알 수 있다. 부모들 대부분이 아이 뒤꽁무니를 쫓아다니고 있고, 혹시 그렇지 않다 해도 아이가 쉴 새 없이 "나 좀 봐!" "나 잘 했지?" "다시 할 테니까 봐!" "엄마가 괴물이 돼서 나를 쫓아와봐!"라며 고함을 질러대기 때문이다. 그래서 프랑스 놀이터에서도 내가 애를 데려오지 않았다는 사실이 금방 탄로 날 줄 알았다. 그러나 내 예상은 보기 좋게 빗나갔다. 정글짐을 타고 오르는 수많은 아이들이 대체 뉘집 아이들인지 전혀 알 도리가 없었다. 그렇다고 프랑스 부모들이 부주의하다는 말이 아니다. 그저 '위험'에 대한 생각이 미국 부모들과 많이 다를 뿐이다. 한마디로 프랑스인들은 아이에게 위험이 그렇게 쉽게 닥치지는 않는다고 생각하며 산다.

이를 교훈 삼아 나도 내 피해망상을 완화시키려 부단히 애쓰고 있다. 역시 두더지 잡기 게임처럼 불쑥불쑥 불안감이 고개를 들기는 하지만…. 바로 내 피해망상이 아이들에게 부정적인 영향을 끼치고 있다는 불안감이다. 일례로 작년 여름휴가 중 우나는 햇빛을 너무 많이 쒔다며 밖에 나가지 않겠다고 선언했다. 여섯 살 된 아이 입에서 나올 만한 말이 아니었다. 자외선에 지나치게 예민한 반응을 보이는 제 엄마를 보고 배운 것이다. 그때부터 명심하게 됐다. '피해망상을 다스리자!'

첫아이를 임신한 뒤 딸이라는 사실을 처음 알게 됐을 때가 생각난다. 우리 부부는 앞으로 닥칠 미래를 함께 고민하다 자연스럽게 친구들의 자녀들에 대해 이야기하게 됐다. 특히 신체 부위를 언급하며 '질'이라는 단어를 아무렇지도 않게 쓰는 요즘 꼬마들이 무섭다, 너무 야멸차고 애늙은이 같지 않으냐는 말을 했다. 그래서 우리 아이들에게는 좀 더 아이다운 표현을 가르치자고 입을 모았다. 나는 '호스'가 어떻겠냐고 제안했다. 내가 어렸을 때 친정부모님이 남녀의 성기 모두를 지칭하는 말로 사용하셨는데, 지금까지 쓰고 계실지도 모른다. 남편은 마뜩지 않아 했다. 사회복지사로 일하는 한 친구와 이 문제에 대해 의논했더니 반드시 제대로 된 신체 부위 명칭을 가르쳐야 한다고 목소리를 높였다. 그럴 일은 없겠지만, 만에 하나 아이가 성적 학대를 당하여 경찰이나 심리학자 앞에서 진술을 하게 될 경우 그런 단어를 쓰면 신빙성이 떨어진다고 했다. 그 친구는 심지어 '외음부'와 같은 말도 가르쳐야 한다고 주장했다. 귀가 얇은 나는 당장 행동을 취했고, 그 덕분에 우리 딸들은 어쩌면 엄마인 나보다 더 자연스럽게 신체 부위 명칭을 사용한다. 1년쯤 지난 뒤 이 일화를 한 프랑스 엄마에게 얘기해주었더니 그 엄마는 양팔을 번쩍 들어올리면서 깔깔대고 웃었다.

"세상에, 이렇게 다를 수가! 만약에 프랑스 아이가 경찰 앞에서 '음부'라는 말을 쓰면 오히려 집에서 성적 학대를 당하고 있지 않나 의심할 거야. 우리 아이들은 아직 '키키' '지지'라는 표현을 써."

아이들이 어떤 단어를 쓰느냐는 그렇게 중요하지 않다고 본다. 다만 항상 최악의 상황을 상정해놓고 대책을 세우려는 경향에 대해서는 다시 생각해볼 필요가 있다. 계속 그러다가는 인류가 해파리로 변하게 되지 않을까?

나는 아이들을 대할 때 불안 초조해하거나 강박적으로 행동하지 않으려고 최선을 다하고 있다. 이것이야말로 진정한 프랑스 스타일이다. 내 자신이 대견하다고 느낄 때마다 초콜릿 크루아상을 스스로에게 선물로 주고 있다.

물론 프랑스인들도 불안함을 느끼고 강박적으로 행동할 때도 있다. 그러나 육아에 관한 한 불안과 강박이 일차적 반응으로 나타나지는 않는다. 애가 셋 딸린 한 프랑스 아빠와 산책을 하던 중 귀중한 깨달음을 하나 더 얻게 됐다.

"있잖아, 캐서린, 아이들은 아무리 해도 만족할 줄 몰라. 그런데도 자식들을 어떻게든 웃게 만들려고 진이 다 빠지도록 안달복달하는 부모들이 있지. 아이들은 뭐든 스스로 터득하는 버릇을 들여야 하는데 부모가 그럴 기회를 가로채면 절대 그렇게 될 수가 없어."

뭘 해줘도 아이들은 늘 더 바라게 마련이다. 그게 아이들의 본능이니까. 장난감이든, 군것질거리든, 부모의 관심이든…. 집에 있으면 아이에게 쏠리는 관심을 조절하기가 쉽지 않은데, 그래도 우리 부부는 어느 정도 줄이는 데 성공했다.

아직도 딸들은 놀이터에 가면 자기들을 봐달라고 애원한다. 한두 번은 봐주지만 한계를 정했다. 이제는 프랑스 스타일로 이렇게 대답한다. "엄마가 두 번까지는 보겠지만 그다음부터는 나무 밑에 앉아서 책 읽을 거야. 너희들끼리 연습해두면, 다음번에 왔을 때 실력이 늘었는지 엄마가 잠깐 보고 확인해줄게. 다치지 않도록 조심하고." 그 책 읽는 시간이 얼마나 꿀맛 같은지!

내 말이 너무 가혹하게 들릴 수도 있으니 아이를 혼자 놀게 내버려 뒀을 때의 장점을 훑고 넘어가는 편이 좋겠다. 에드워드 R. 크리스토퍼슨 박사Dr. Edward R. Christophersen는 저서 《소아 순응 : 제1차 진료기관 의사들을 위한 안내서Pediatric Compliance : A Guide for the Primary Care Physician》에서 아이들이 혼자 노는 법을 충분히 배울 수 있다고 역설한다. 혼자 노는 법을 익힌 아이는 오랜 시간 스스로 즐거움을 찾을 줄 알기 때문에 그 시간 동안은 굳이 따로 훈육을 할 필요가 없다. 4세 아동의 경우에는 약 한두 시간 정도 스스로 즐거움을 찾을 수 있다고 한다.

그런 기술을 가르칠 수 있다는 사실 자체가 나 같은 부모에게는 희소식이다. 크리스토퍼슨 박사는 대다수 유아들이 혼자 놀 수 있는 삼재력을 가지고 있으나 이를 제대로 발현시키는 부모가 거의 없다고 지적한다. 사실 발현시키기는커녕 짓밟지나 않으면 다행이다. 이 책을 읽으면 읽을수록 크리스토퍼슨 박사 역시 프랑스 스타일에 가깝다는 생각이 굳어진다. 박사에 따르면, 아이가 혼자 노는 기술을 익히게 되면 행동 순응과 관련한 문제가 저절로 해결된다고 한다. 부모가 규율만 잡으려 들면서 정작 아이가 관심을 보이는 활동을 제대로 활용하지 못하면 그야말로 하루 24시간 아이의 일거수일투족을 감시해야 한다. 따라서 아이가 혼자 노는 기술을 익히도록 유도해야 장기적으로도 삶이 편안해진다. 그래야 정상적으로 전화 통화를 하고 저녁 준비를 하고 샤워를 할 수 있다.

그런데 크리스토퍼슨 박사에 따르면 긍정적인 효과는 여기서 그치지 않는다. 혼자 노는 법을 터득한 아이는 놀이 자체에서 즐거움을 얻는다. 즉 놀 때 굳이 다른 사람을 필요로 하거나 보상을 바라지 않는다. 혼자 노는 법을 배운 아이는 꽤 시간이 걸리는 숙제도 곧잘 해내고, 수업 시간에 진득하게 자리에 앉아 있고, 개인 과제도 거뜬히 마무리하며, 두꺼운 책을 읽어내고, 취미나 재능을 키우게 된다. 다른 아이들과도 더 활발하고 무난하게 어울려 지낸다.

이 책을 읽고 쌀쌀맞아 보이던 프랑스 부모들의 이미지가 완전히 뒤바뀌었다. 학교에서 돌아온 대프니가 10분도 채 안 돼서 "놀아줘, 엄마. 같이 놀 사람이 없어"라고 투덜대면 나는 이제 새로운 전법을 구사한다. 혹은 구사하려 애쓴다. 처음에 잠깐만 놀아주기로 하고 제한 시간을 15분으로 정하는 것이다. 타이머가 땡 하면 혼자 놀기가 시작된다. 요새 대프니는 온 집 안을 돌아다니며 인형들과 모험 여행을 하는 데 심취해 있다. 같이 인형을 하나씩 들고 있다가 15분이 지나면 대프니가 내 인형까지 받아 들고 모험을 이어간다. 아직 두 시간씩 혼자 놀 수 있는 역량은 안 되지만 조금씩 발전하고 있다. 심지어 내가 도와주지 않아도 혼자 새로운 게임을 시작하는 경우도 적지 않다.

내가 관찰한 프랑스 부모들은 대부분 아이들과 함께 블록으로 우주선을 만들거나 소꿉놀이를 해줄 시간도, 심적인 여유도 없는 듯했다. 처음에는 그저 안됐다고만 생각했는데, 크리스토퍼슨 박사의 책을 읽고 난 뒤에는 그들과 나 사이에서 중간점을 찾을 수 있겠다는 희망이 생겼다. 아이가 혼자서도 즐거움을 찾을 수 있게 되면 분명 장점은 많지만, 나는 아직 아이 침대에 앉아서 함께 소꿉놀이 하는 기쁨을 누리고 싶다. 그렇다고 아이가 테니스나 힙합댄스 교습을 받는 동안, 혹은 요리나 바느질 교실에 참여하는 동안 옆에 멀거니 앉아 기다리는 엄마가 되고 싶다는 말은 아니다. 우리 딸들도 늘 내가 주변을 맴도는 데 익숙해졌기 때문에 그 습관을 깨기란 쉽지 않았다. 그럼에도 불구하고 나는 프랑스 스타일을 접한 뒤 결심을 굳힐 용기가 생겼다.

프랑스에서는 아이가 방과 후 스포츠를 배우러 가도 부모가 매번 따라다니지 않는다. 미국처럼 스포츠 과외활동이 일반화되어 있지 않기 때문일 수도 있다. 하지만 주말에 경기가 열려도 부모들은 거의 오지 않고, 결승전쯤 돼야 겨우 얼굴을 내민다. 그러니 목이 쉬도록 고래고래 응원을 하거나 심판에게 삿대질하는 부모도 당연히 없다. 아이들은 이를 허전해하지 않는다. 반면 미국 부모들은 아이에게 좋다는 과외활동은 다 시키면서 물불 가리지 않고 요란하게 뒷바라지한다. 그래야 아이가 스스로의 강점을 발견하고 키워나갈 수 있다고 생각하기 때문이다. 몇 주에 한 번 꼴로 새 스포츠 장비를 구입하고, 새 교습 반에 아이를 등록시키는 부모가 부지기수다. 부부끼리 데이트를 즐길 힘도, 돈도 남아 있을 리 없다.

프랑스는 이 점에 있어서 확실히 체계가 잡혀 있다. 학교 수업이 없는 수요일에는 아이들에게 과외활동을 시킨다. 대신 주말에는 푹 쉬고 잠도 충분히 잔다. 미국에서 주 중에 수업을 뺄 도리는 없지만, 프랑스 스타일에 고무된 나는 생활의 속도만이라도 늦춰보기로 했다. 물론 우여곡절이 따랐다.

결심을 실행에 옮기려 하자마자 대프니가 탭댄스, 노래, 모던댄스, 도자기를 배우고 싶다고 선언했다. 도대체 어디서 다 주워들었는지…. 아마도 매주 과외활동을 몇 개씩 하는 친구들의 영향인 듯했다. 일단 나는 프랑스식 사고방식에 입각하여 두 딸 중 누구도 이런 과외를 시키지 않았다. 우나가 아직 유치원생일 때 발레부터 연기,

축구까지 쉴 새 없이 이 학원 저 학원 전전하게 만들며 아이의 진을 빼놓은 지 얼마 되지 않았던 때라, 생활 속도를 늦춰놓으면 우나보다 훨씬 성질이 급한 대프니에게 분명 눈에 띄는 효과가 나타나리라 예상했다.

예상은 들어맞았다!

일상이 여유로워지니 우리 식구 모두 그만큼 더 행복해졌다. 우리 식구는 천천히, 조금씩, 기름을 친 기계처럼 맞물려 돌아가기 시작했고, 숙제부터 취침에 이르기까지 모든 일과가 물 흐르듯이 흘러가 이전처럼 핏대를 세울 필요가 없어졌다. 대프니가 댄스 스텝이나 음계를 배울 기회는 앞으로도 얼마든지 있을 것이다.

대프니처럼 성마른 여자아이뿐만 아니라 남자아이를 길들이는 데도 이런 느슨한 프랑스 스타일이 안성맞춤이다. 야생마처럼 날뛰는 남자아이를 둔 부모들이 내게 부러움의 시선을 보낼 때가 종종 있다. 상대적으로 온순해 보이는 딸만 둘 데리고 있으니까. 내가 아는 남자아이 열 명에 네 명은 뻗치는 힘을 주체하지 못해 친구들에게 달려들고 못살게 굴기도 한다. 딱히 해결책이 없는 부모들은 그 뻗치는 힘이 저절로 사그라지기를 기다릴 뿐이다. 물론 프랑스에는 그런 남자아이들이 현저히 적은 것 같지만.

앞서 말했듯 프랑스 부모들은 아이의 수업이나 방과 후 활동에 불필요한 관심을 쏟지 않는다. 다섯 살배기 아이의 재능 혹은 열정을 찾느라 시간을 낭비하는 대신 일상에 여백을 남겨둔다. 혹여 과외나 스포츠를 배운다 하더라도 부모는 가능한 개입하지 않는다. 프랑스에 머물던 중 한 친구의 여덟 살배기 딸이 새로 댄스 교습을 받게 됐다는 얘기를 듣게 됐다. 반은 미국인, 반은 프랑스인이었던 이 소녀는 힙합을 배우겠다고 마음을 굳힌 상태였는데 마침 가까이에는 아이에게 힙합을 가르치는 학원이 없었다. 이 아이는 결국 성인반에 등록을 했다. 아직 어렸기 때문에 엄마가 아이 손을 잡고 복잡한 차도를 건너 학원까지 데려다 주어야 했다. 그러나 엄마의 역할은 거기까지였다. 첫 교습이 끝난 뒤 아이는 알아서 집에 왔고, 오늘의 수업에 대해 보고했다. 처음에는 마땅치 않아 하던 선생님도 자신이 곧잘 따라 하자 태도가 바뀌며 계속 배워도 좋다고 했다는 것이다. 우나라면 어땠을까 상상을 해보려 해도 (내가 교습 시간 내내 옆에서 지켜보고 있다는 전제를 깔아도) 상상 자체가 불가능하다. 내가 만난 프랑스 부모들 대다수는 아이에게 실력을 연마할 수 있는 기회를 주고 스스로 해결하도록 내버려 두면 자신감과 만족감이 상승한다고 말했다.

이론상으로는 그럴듯하게 들리는데, 나는 이제 겨우 우나가 테니스 교습을 받을 때 중간에 살짝 빠져나오는 단계에 이르렀을 뿐이다. 우나는 아직 우리에게 이것저것 말해주기보다는 우리로부터 잘한다는 말을 듣고 싶어 한다. 태어나서 지금까지 뭘 해도 '잘한다'는 말만 듣고 살았으니 당연히 그럴 수밖에 없을 것이다. 조금이라도 힘겨운 과제가 맡겨지면 타인의 격려와 칭찬부터 찾는 것 같아 걱정이다. 회전목마 일화에서도 알 수 있듯, 프랑스 부모들은 미국 부모들처럼 아이에게 '폭풍 칭찬'을 쏟아붓지 않는다. 그런데 나는 프랑스 스타일에 올인하기 전까지 프랑스 스타일과 미국 스타일을 오가며 온갖 전문가들의 의견을 다 참조했다.

결과는? 프랑스 부모들의 승리였다.

　최근 이론가들에 따르면 손가락만 까딱해도 칭찬을 받는 미국 아이들 다수가 과도한 칭찬, 공허한 칭찬의 부작용에 시달리고 있다고 한다. 이 정도만 해도 칭찬을 받는데 굳이 더 노력을 해서 발전할 필요를 못 느끼기 때문이란다. 무엇보다 아이들은 영악하다. 일곱 살만 넘어도 빈 소리가 뭔지 구분해낸다. 즉, 칭찬에 진심이 담겨 있지 않으면 재빨리 눈치채고 이후 따르는 칭찬도 심각하게 받아들이지 않게 된다. 젠장…! 너대니얼 브랜든 박사Dr. Nathaniel Branden의 유명 저서 《자존감의 심리The Psychology of Self-Esteem》 때문인지는 몰라도 미국인들은 자존감에 집착하는 경향이 있다. 프랑스 남부에서 태어나 열세 살에 로스앤젤레스로 이주한 내 친구 샌드라는 고등학교에 진학하자마자 겪었던 에피소드를 지금도 즐겨 이야기한다. 수업 시간에 거울을 들여다보면서 스스로가 얼마나 중요하고 특별한 사람인지 되새긴 뒤 자신의 장점을 하나씩 꼽아보라는 과제가 주어졌다. 당연히 프랑스식 사고방식이 자리 잡혀 있던 샌드라는 혼란을 느꼈다. "도대체 말이 안 된다고 생각했어. 왜 내 칭찬이 내 입에서 나와야 하냐고." 브랜든 박사의 이론이 프랑스에서는 잘 먹히지 않았나 보다. 샌드라는 또 점심 급식으로 땅콩버터와 잼을 바른 샌드위치가 나왔던 순간을 기억한다. 설마 이걸 점심이라고 줬나 의심했다는 말도 꼭 덧붙인다.

우리가 과도한 칭찬이라는 실수를 저지르고 있다면 프랑스인들은 반대로 아이가 잘못했을 때 지나친 굴욕감을 주고 있다. 둘을 반반 섞을 수만 있다면 얼마나 좋을까?

두 딸에게 '너희가 얼마나 훌륭하고 똑똑하고 예쁘고 완벽한지' 하루에 50번도 넘게 말하던 버릇을 고치기란 쉽지 않았다. 지금은 하루에 열 번 정도로 줄이는 데 성공했다. 그렇지 않아도 요새 우나가 "그냥 우리 엄마니까 그렇게 말할 수밖에 없는 거지?"라고 의심하기 시작했으니 정말 다행이다. 이렇게 대답하기 곤란한 질문은 아예 안 했으면 좋았겠지만. 어쨌든 아이에게 이미 천재나 다름없다는 찬사를 쏟아 부은 이상 거기서 더 발전하기를 바랄 수는 없는 노릇이다.

이런 식으로 아이들로부터 비참함, 좌절을 맛볼 기회를 박탈해버리면 어른이 되어 그러한 감정에 제대로 대응하지 못할 뿐만 아니라 스스로 행복하지 못하다는 데에서 죄책감마저 느끼게 된다. 부모님은 희생을 마다하지 않았는데 행복하지 않다니…!

오늘날 미국 부모들은 어디에서 선을 그어야 할지, 아니 그어야 할 선이 있는지조차 잘 모르는 것 같다. 얼마 전 의사인 친구 아일린이 해준 얘기를 듣고 등골이 서늘해졌다. 까딱 잘못하다가는 나도 빠져들지 모르는 수렁이었다. 나이가 많은 한 여성 환자가 진료를 받던 중 전화벨이 울리자 매우 중요한 전화라면서 받겠다고 했단다. 전화기 너머에서는 서른이 다 된 변호사 딸이 로펌 상사에게 혼났다고 하소연을 하고, 엄마는 계속해서 위로를 건네는 진풍경이 연출됐다. 이후 이 여성 환자를 다시 만났을 때 아일린은 변호사 딸이 해고를 당했다는 사실을 전해 들었다. 실적이 나쁘기 때문이 아니라 그 엄마가 회사 고위 간부에게 전화를 해서 왜 내 딸을 꾸짖었냐고 따졌기 때문이었다. 누가 봐도 이 얘기의 교훈은 명백하다. 탯줄을 끊어야 한다! 물론 쉽지 않다. 나도 얼마 전 비슷한 경험을 했다. 우나가 같은 반에서 무리 지어 다니는 여자아이들로부터 왕따를 당한 적이 있었다. 어느 날 저녁 목욕을 시키는데 아이가 눈물을 쏟으면서 털어놓았다. "애너벨, 세라, 이블린은 나랑 안 놀려고 해. 자기들끼리만 놀아. 애너벨이 나보고 귀찮게 하지 말래!" 그중 세라라는 아이의 엄마는 나와 절친한 친구였다. 일단 세라의 엄마를 호출해서 긴급 회동을 열어야겠다는 생각이 머릿속에 떠오름과 동시에 입으로는 "울지 마, 우리 딸. 엄마가 세라네 엄마한테 전화해서 다 해결해줄게"라는 말이 흘러나오려 했다. 그 순간 아이 친구의 엄마 옆구리를 찔러서 억지로 어울리게 해봤자 우나에게 하등 도움이 되지 않을 것이란 생각이 들었다. 안타깝지만 인생은 때로 힘겹고 아프다.

엄마 아빠가 뭐든 해결해주는 데 익숙해진 우나는 이번에도 내가 세라네 엄마에게 전화해주기를 기대한 모양이었지만 나는 용케 버텼다. 아이에게나 나에게나 고비였다. 그러나 겪어내고 나니 둘 다 조금 더 단단해져 있었다. 우나는 곧 다른 친구들과 어울리게 됐고, 인생이 애초 생각대로 풀리지 않는다고 해서 세상에 종말이 오지는 않는다는 진리를 배우게 됐다. 나도 사랑하는 딸의 사회생활에서 한 발짝 물러서는 법을 터득했다. 딸의 '사회생활'이라 하니 좀 손발이 오그라드는 느낌이긴 하다.

가정의 중심은 어른

그야말로 프랑스 스타일 아닌가?

부모로서 아이가 처한 상황을 객관적으로 바라보기란 쉽지 않다. 특히 그럴 시도조차 해본 적이 없는 부모는 더 곤혹스럽다. 요즘 부모들은 자식을 스스로 세상 고난을 헤쳐 나가야 하는 독립적 존재가 아니라 그저 자신의 '미니미' 정도로 생각한다. 나와 같은 세대 부모들 중 요새 아이들처럼 괴잉보호를 받으며 자란 사람은 아무도 없을 것이다. 부모들은 이미 좌절, 고통, 두려움을 겪어보았기에 자식만은 그런 감정으로부터 어떻게든 보호하려 한다.

그러나 아이들도 세상살이를 하려면 그런 감정을 모두 경험해야 한다. 그래야 면역력이 생긴다. 어찌된 영문인지, 자식을 위해 더 많이 희생하는 부모일수록 정작 이 사실은 간과하는 것 같다. 자식 감싸고 돌기라는 주제가 등장할 때마다 프랑스 부모들은 아이들을 좀 내버려 둬야 한다, 그래서 자신의 문제에 대한 해결책을 스스로 찾고 부정적인 상황을 극복할 줄 알게 돼야 한다고 강조한다. 아이와 부모 모두의 삶을 윤택하게 하기 위해 귀담아 들어야 할 조언이다.

아이와 친구 같은 관계를 유지하는 부모가 아이를 객관적으로 판단하고 규율을 잡기란 더 힘들다. 작년 여름 파리 외곽에서 프랑스 부모들과 점심을 함께 하던 중 미국 부모들은 아이들과 친구, 즉 '버디Buddy'로 지내려는 경향이 있다는 말을 꺼낸 적이 있다. 그때 좌중이 보인 반응만 보면 마치 내가 프랑스 국민가수 세르주 갱스부르Serge Gainsbourg를 대놓고 깎아 내리기라도 한 것 같았다. 눈알을 굴리고 픽픽 웃고 난리도 아니었다. 그 자리에서 미국인이 애용하는 '버디'라는 단어는 웃음거리에 지나지 않았다.

"귀에 못이 박히도록 듣는 말이지." 한 프랑스 엄마가 웃으며 탄식조로 말했다. "우리 회사에도 미국 사람이 하나 있는데 아이랑 전화할 때 늘 그 말을 입에 달고 살아. '버디, 아빠 이제 집에 갈 거니까 화내지 마. 알았지, 버디.' 버디! 버디! 버디! 아니면 '그렇지, 버디! 쿠키 먹었구나!' 뭐, 그런 말. 그럴 때마다 '당신은 아이 아빠야! 아이 친구는 따로 있어!'라고 소리 지르고 싶어. 아빠랑 얘기할 때마다 그 버디 소리를 들어야 하는 아이가 딱할 따름이야."

나도 움찔하게 되는 대목이다. 예전에 아이들을 야단친 뒤 분위기를 풀려고 하면서 "우리 다시 친구다, 맞지?"라고 말하곤 했으니. 이제 와 생각해보니 아이의 환심을 사기 위해 너무 필사적이었던 것 같다. 집안의 사령관 체면이 말이 아니다. 프랑스인들은 부모와 자식이 수직 관계임을 명확히 한다. 미국 부모들이 자식을 제대로 못 다루는 이유가 여기 있다. 제대로 다루기는커녕 자식들 요구에 휘둘리지나 않으면 다행이다. 자식들 눈에는 우리가 그저 '버디'일 뿐이니 그럴 만도 하다.

아이를 계속 버디라 부르면 부모의 심리에도 부정적인 영향을 미치게 된다. 친구만 집에 홀로 남겨두고 부부끼리 외출하려니 죄책감이 느껴지는 것일 수도 있다. 친한 친구가 가지 말라고 소리를 지르고, 매달리고, 애원하는데 어떻게 뿌리칠 수 있겠는가? 이런 친구 관계를 애초에 시작도 하지 않으면 충분히 예방할 수 있는 문제다.

친구가 아니라 통제권을 지닌 사령관이 됨으로써 나는 집안에 변화와 혁신을 몰고 왔고 인생이 즐거워졌다. 어느 날 문득 집 안을 찬찬히 둘러보게 되었다. 우리 집은 브루클린의 아파트로, 침실 세 개에 식당과 거실을 포함하여 공간이 여덟 개로 나뉘어 있다. 그런데 그 공간이 전부 아이들 물건으로 발 디딜 틈조차 없었다. 거실에는 거대한 장난감 주방이 차려져 있고, 식당에는 장난감이 가득 담긴 장난감 수레가 놓여 있었다. 부엌은 아이들 미술용품으로 거의 뒤덮였고 벽마다 아이들이 어지럽게 그려놓은 낙서 때문에 무슨 갤러리 같았다. 아무리 봐도 몬드리안의 뒤를 이을 재목은 아니다. 심지어 복도에도 아이들 물건이 널려 있었다. 그저 거기 놓아둔 정도가 아니라 아예 붙박이로 자리를 잡았다. 머릿속에 프랑스 친구들의 집이 떠올랐다. 우리도 꼭 이 꼴로 지낼 필요는 없었다. 물론 아이들이 내 삶에서 큰 비중을 차지하기는 한다. 그렇다고 내 정신을 온통 지배하도록 내버려 두어서는 안 되는 것과 마찬가지로 나만의 물리적 영역을 지켜야 한다는 사실을 깨달았다. 프랑스 가정에서는 아이 물건은 아이의 영역 안에 둔다. 나머지 공간에 아이 물건이 어지럽게 널려 있는 경우는 없다. 아이의 영역으로 정해놓은 범위가 가정마다 다를 수는 있지만 단 한 곳, 거실은 예외 없는 성역이다. 거실에는 절대 장난감이 나와 있을 수 없다. 아이들이 자유롭게 들락거릴 수는 있지만 거실을 놀이터로 삼거나 장난감 보관 장소로 이용하지는 못한다. 엄마 아빠와 다른 어른들이 소파에 앉아 와인을 마시며 이야기를 나누는 공간이기 때문이다. 대단하지 않은가? 일단 프랑스 아이들의 살림살이가 미국 아이들에 비해 단출하기는 하다. 그렇지만 무엇보다 엄마 아빠의 생활이 늘 자신을 중심으로 돌아가지는 않는다는 사실, 어른들은 어른들만의 영역이 필요하다는 사실을 인지하며 자라기 때문에 가능하다.

나도 프랑스 스타일의 완성을 위해 곧장 거실에서 장난감, 세발자전거, 색칠 공부 책, 장난감 주방용품, 운동기구, 아이들이 그린 그림, 보드게임, 봉제 인형을 싹 치웠다. 치우는 김에 가구 배치도 바꿨다. 아이들 물건에 뒤덮여서 보이지 않던 공간이 새롭게 발견되었기 때문이다. 크리스마스를 맞은 듯 신이 났다. 그때 생각만 하면 흐뭇한 미소가 절로 떠오른다. 다시 한 번 말하지만 나는 그리 엄격한 편이 못 된다. 장난감과 그림책 한두 개가 스멀스멀 거실 탁자에 다시 모습을 드러내기도 한다. 그렇지만 장난감 가게 사장님이 아닌 보통 어른의 기분을 내고 싶을 때면 언제든 순식간에 치워버릴 수 있는 수준이다. 얼마 전 나의 프랑스화 프로젝트에 대해 전혀 알지 못하는 친구가 집에 놀러 왔다가 '거실이 훨씬 여유로워 보인다'는 말을 했다. 반가움에 친구를 와락 안았다. 내가 해냈다!

장성한 아들 다섯을 둔 한 프랑스 엄마는 자기도 아이들이 어렸을 때 그렇게까지 엄격하게 굴지 못했다며 이렇게 자아비판을 했다. "일요일에는 웬만하면 거실에 장난감을 가지고 들어와도 뭐라고 안 했어요. 단, 월요일이 되기 전에 깨끗하게 치운다는 조건을 걸었죠." 쯧쯧, 그렇게 나약해서야, 원….

지난봄에는 스물세 살의 보르도 출신 아가씨 노에미를 만나 어린 시절 어떤 지침을 지키며 자랐는지 경험담을 들었다.

"부엌에서 제가 열 수 있는 서랍은 딱 두 개였어요. 그중 하나는 사실 서랍이 아니라 빵을 넣어두는 통이었죠. 나머지 하나는 과자며 간식거리를 넣어두는 서랍이었고요. 냉장고를 열어서 들여다보는 짓은 금지되어 있었어요. 냉장고는 엄마의 영역이니까 오빠랑 나는 뭔가 먹고 싶으면 엄마한테 가서 허락을 받아야 했죠. 엄마 아빠가 여행으로 집을 비우신 동안에는 마음껏 뒤졌죠. 정말 신 났어요."

냉장고 뒤지기를 신 나는 놀이로 승화시킨 엄마에게 존경을 바친다. 사실 아이가 냉장고를 마음대로 뒤지지 못하게 해야 옳다. 아직 영양의 균형을 스스로 맞출 수 있는 나이가 아니기 때문이다. 우리 집 딸들도 냉장고 문을 열 줄 알게 되자마자 당장 뒤지기를 시작했다. 지금껏 우리 부부는 그런 행동을 막지 않았다. 일단 일곱 살은 넘었으니 냉장고 프리덤은 즐길 수 있는 나이라고 생각한다. 프랑스에서는 일곱 살을 철들 나이라고 여겨 다양한 자유를 부여한다. 또한 아이들에게 다른 집에 손님으로 갔을 때는 절대로, 무슨 일이 있어도, 냉장고를 열어서는 안 된다고 주지시켰다. 간혹 우리 집에 놀러 온 다른 집 아이가 스스럼없이 냉장고를 열고 음식을 꺼내 먹을 때가 있는데, 그때마다 무척 거슬린다.

프랑스 부모들의 교육 방식을 이리저리 살피다 보면 얻는 바가 참으로 많다. 공동체 생활에 중점을 두는 프랑스인들과 비교하니, 내가 그간 아이들의 개성을 보호한다는 명목으로 몇몇 잘못된 행실을 그냥 눈감아주었음을 깨달았다. 그래도 나는 그런 개성을 말살하고 싶지는 않다. 그저 좀 조절을 해야겠다고 생각한다. 프랑스 부모들을 면밀히 관찰한 결과 아이들과 매우 특별한 관계를 형성하고 있음을 알 수 있었다. 아이들이 무조건적인 사랑을 받고 있다고 느끼게 만들면서도 고삐를 절대 놓지 않는다. 동시에 고유의 개성을 고스란히 살려준다. 프랑스화 프로젝트를 시작하고 나서 밤에 잠도 더 푹 자게 됐다. 자다가 불현듯 깨서 내일 대프니가 학교 갈 때 입힐 옷을 빤다든가, 가정 통지문에 서명을 했는지 고민하지 않는다. 신기하게도 아이가 아주 어렸을 때부터 엄격하게 다루는 프랑스식 육아법은 가족 전체의 삶을 그만큼 더 편안하고 여유롭게 만들어준다. 내가 프랑스 스타일을 밀어붙일 수밖에 없는 이유다.

프랑스 스타일로 아이를 키우는 부모들이 우리 주변에 알게 모르게 많이 있다. 영화 속 캐릭터일 때도 있고 실존 인물일 때도 있다. 프랑스인은 아닌데 프랑스식 육아의 진수를 보여주는 그런 인물들을 나는 '예상 외로 프랑스적이다'라고 표현한다. 이제 소개할 부모들은 스스로 알고 있을지 모르겠지만 진정한 프랑스 스타일의 범주에 든다. 당연히 아이들도 예의 바르기로 소문이 나 있다.

프랑스식 육아법의 비밀을 캐기 위해 동분서주하다 하나씩 발견하게 됐다. 예를 들면 실패를 거듭하면서 우리 집 텔레비전 시청 방식을 프랑스화하려던 와중에 적어도 쓰레기 같은 프로그램만이라도 보지 말아야겠다는 결심을 하게 됐다. 딸들이 한숨을 푹푹 내쉬면서 툭하면 비아냥거리게 된 이유가 아무래도 그 즈음 보던 텔레비전 프로그램 때문인 것 같았다.

가정의 중심은 어른

그 프로그램을 끊는 대신 나는 다른 프로그램을 보여주겠다고 했다. 프랑스 스타일에 위배된다는 사실쯤은 나도 안다! 하지만 그때 아주 오래전 텔레비전에서 방영했던 〈코스비 가족The Cosby Show〉이 란 시트콤을 다운로드받아 보면서 주인공인 헉스터블 가족의 진가 를 재발견할 수 있었다. 아버지로 분한 빌 코스비가 바리톤의 저음으 로 아이들에게 던지는 한마디는 내 귀에 달콤한 음악이었다. "이 집 안 아버지는 나다! 그러니 다들 입 다물어."

그래서 헉스터블 가족을 맨 처음 언급했다. 물론 뒤따르는 명사 들도 충분히 프랑스적이다.

● '프랑스적인' 부모들

〈코스비 가족〉의 클리프 헉스터블 부부

헉스터블 남매는 전반적으로 무척 예의가 바르다. 간혹 일탈의 기 미가 보이면 클리프 헉스터블로 분한 빌 코스비가 앞서 말한 마법 의 대사를 읊는다. 그중 장녀 샌드라가 특히 순종적이다. 그래서 그 런지 샌드라는 프랑스 문화에 심취한 아이로 그려진다.

기네스 팰트로Gwyreth Paltrow

영국 록밴드 '콜드플레이'의 리드 보컬 크리스 마틴과 결혼한 기네 스 팰트로는 부부가 합심해서 아이를 이렇게 키운다고 말한 바 있 다. "어느 정도는 엄격하게 대하지만 아이의 인격을 존중하고 아이 가 정말 원하는 바가 있으면 함께 해결책을 찾으려고 노력해요." 프랑스, 영국, 미국 육아법의 하이브리드가 아닌가!

조폭 영화에 나오는 아이들

내용상 그럴 수밖에 없다. 직업이 조폭인 부모가 버릇없이 구는 자식들에게 방으로 돌아가 반성하라고 타이르겠는가? 대번에 손이 먼저 올라갈 수밖에. 좀 과하게 프랑스적일 수는 있는데, 어쨌거나 그런 영화 몇 편만 보면 좀 덜 폭력적인 훈육 방법에 관한 영감이 떠오르기도 한다.

데이비드 베컴David Beckham 부부

모델 출신 방송인 하이디 클룸에 따르면 그야말로 세기의 커플인 데이비드 베컴과 빅토리아 베컴 부부의 아이들이 '세상에서 제일 예의 바른 꼬마들'이라고 한다. 매주 패션 디자이너 하나를 가차 없이 잘라버리는 냉혹한 서바이벌 프로그램 〈프로젝트 런웨이〉의 진행자가 하는 말이니 에누리 없이 들어도 될 것 같다.

록밴드 '키스'의 보컬 진 시먼스Gene Simmons

진 시먼스는 한 연예 사이트와의 인터뷰에서 자신이 '굉장히 엄격한' 아빠라고 밝힌 바 있다. 화장에 들이는 공의 반만 아빠 노릇에 들였다고 해도 충분히 가능했을 테니 믿겠다. '안 되는 건 안 된다'는 원칙을 고수했기에 아이들이 비뚤어지지 않았다고 한다. "마약, 술, 담배는 하면 안 되는 것으로 정해놓았기 때문에 안 한다. 욕도

하면 안 되는 것으로 정해놓았기 때문에 안 한다. 텔레비전에 방문을 쾅 닫는 아이들이 나오면 미친 짓 중의 미친 짓이라고 가르쳤다. 스팍 박사Dr. Spock, 유명한 육아서 저자의 개소리 따위 신경 쓰지 않는다. 아이와 협상을 하냐고? 어림없다." 멋지다, 로커 아빠!

버락 오바마Barack Obama 대통령 부부

오바마 대통령 부부의 육아법은 책을 참고만 한 정도가 아니고 아예 통째로 갖다 썼다. 대통령의 두 딸인 사샤와 말리아가 주말을 제외한 평일에는 텔레비전을 전혀 못 본다는 내용을 읽고 우리 부부도 같은 규칙을 도입했다. 결과는 대만족이었다. 언제, 얼마만큼 텔레비전을 봐도 좋은지를 놓고 옥신각신하는 불편함이 현저히 줄었고, 아이들이 훨씬 창의적인 놀이를 하며 놀게 됐다. 그것도 각자, 방에 들어가서 말이다. 오바마 대통령 부부에게 감읍할 따름이다.

텔레비전 드라마 〈매드맨Mad Men〉의 주인공 던 드레이퍼

텔레비전 드라마 '매드맨'의 주인공 던 드레이퍼는 한 에피소드에서 딸 샐리에게 파티에 쓸 칵테일을 만들라고 시킨다. 극중 샐리는 열살이다. 이 역시 좀 과하게 프랑스적으로 보일 수 있으나 미국에서도 내내 아이들을 지금처럼 떠받들며 키우지는 않았다는 사실을 대변해주는 것 같아 반가웠다. 그렇다고 1950년대 육아법을 그대로 따르자는 말이 아니고, 교훈만 가려서 얻자는 뜻이다. 드라마 속 아내 베티와 이혼한 던 드레이퍼가 아이와 잘 어울리지 못하는 페이

대신 모성애가 풍부한 메건과 재혼한다는 점도 주목할 만하다.

루이스 C. K. Louis C. K.

"딸을 뼛속까지 사랑하지만, 안 태어났으면 좋지 않았을까 하는 생각을 한다." 두 딸을 둔 미국 코미디언이자 유명한 방송 작가인 루이스 C. K.가 자신의 텔레비전 쇼 〈루이Louie〉에 나와 했던 말이다. 부모라면 누구나 공감하지만 차마 입 밖으로 낼 수는 없었던 말을 속 시원하게 내뱉어 줬다.

움파룸파족

움파룸파족은 로알드 달Roald Dahl의 동화 《찰리와 초콜릿 공장Charlie and the Chocolate Factory》에 나오는 피부가 주황색인 난쟁이들로 초콜릿 공장에서 초콜릿과 사탕을 만든다. 이들은 노래를 통해 아이를 망나니로 키우는 부모들을 나무라는데, 딱 프랑스 스타일이다.

이반카 트럼프 Ivanka Trump

뜻밖이겠지만 억만장자 도널드 트럼프의 딸이 최근 한 아침 토크쇼에 나와서 했던 말에 깊은 감명을 받았다. "아낌없이 주는 부모가 되기보다 엄격하게 제한하는 부모 되기가 훨씬 어렵다. 특히 나의 경우 심각한 도전이 될 것임을 잘 안다. 이런 도시, 이런 분위기에서 윤리적 방향성을 잃지 않고 자식을 멀쩡한 사람으로 키워내기는 정말 힘들다. 무엇보다 자신에게 주어진 혜택을 당연하게 여기도록 내버려 두어서는 안 되겠다는 생각이 든다." 옳소!

나도 놀랍다.

● 트로피와 거짓말

한 프랑스인 친구에게 아이 모두를 우승자로 만들고자 하는 미국 부모의 심리에 대해 설명해주었더니, 아니나 다를까 당최 이해가 안 간다는 눈빛과 해독이 불가할 정도로 빠른 지적이 이어졌다. "잘하지도 못한 애한테 왜 상을 줘? 그러면 우승의 가치가 떨어지잖아. 그러려면 뭐하러 이기려고 애를 쓰겠어?" 부모로서 아이의 열패감을 막아주고 싶은 마음은 이해하지만, 분명 그 친구의 밀은 일리가 있었다.

우리 딸들도 경쟁심이 꽤 강한 편인데, 나 역시 둘 중 하나라도 패배의 쓴맛을 보게 될까 노심초사한다. 그래서 늘 이렇게 결론을 낸다. "우나 너는 단발머리 부문에서 우승했고, 대프니 너는 핑크색 머리띠 부문에서 1위야."

내 여동생은 큰아이가 체스 대회에서 우승하여 트로피를 받아오자 (여동생은 그 아이가 모태 체스 선수라고 믿는다) 당장 동네 잡화점으로 가서 여섯 살배기 작은아이를 위한 트로피를 사 왔다고 했다. 처음 이 얘기를 들었을 때는 참사를 미연에 방지했으니 참 센스 있다고 생각했다. 그런데 지금 프랑스적인 관점에서 돌아보니 그저 안됐다는 생각만 들 뿐이다. 물론 그런 상황에서 나라고 크게 달랐을 것 같진 않지만.

언제 봐도 멋있고 늘 싱그러운 향기까지 풍기는 프랑스인 친구 폴과 함께 아이들을 데리고 공원에 놀러갔을 때 비슷한 상황이 연출됐다. 폴은 대프니와 뜀박질을 하면서 계속 아이를 앞질러 갔다. 당연하다. 폴은 서른여섯 살, 대프니는 다섯 살이니까. 늘 어른들이 져주는 데 익숙했던 대프니는 뿔이 났지만 폴은 눈치채지 못하고 이렇게 말했다. "내가 일부러 져주기를 바라지는 않지?"

과연 그럴까? 나는 항상 아이에게 져준다. 웬만하면 기쁘게 해주고 싶으니까. 그런데 여기서 중요한 질문이 파생된다. 선의의 거짓말은 좋은가, 나쁜가? 이 질문에 관해 프랑스 부모와 미국 부모가 어떤 차이를 보이는지 알아봤다. 결과는 예측한 대로 나왔다. 혹시 헷갈리는 독자들이 있을지 모르니 따로 정리를 해봤다.

● **미국 부모들이 아이에게 주로 하는 거짓말**

· "장난감 가게가 문을 닫았어."

· "너랑 같이 집에 있고 싶은데 회사에서 오래."

· "우리나라에 아이스크림이 다 동났는데, 지금 만드는 중이래."

· "산타클로스는 있어."

· "할로윈 때 받은 사탕은 엄마가 잘 넣어둘게."

· "미안, 지금 엄마 전화가 고장 나서 게임을 못 해. 이따 고쳐줄게."

· "그림 너무 잘 그렸네."

· "혼자서도 옷을 이렇게 예쁘게 입네."

· "철자법이 참 독창적이구나."
· "엄마는 오후 3시 넘어서 괴물 역할을 하면 안 된다는 법을 나라에
　서 만들었어."

● **프랑스 부모들이 아이에게 주로 하는 거짓말**
· "산타클로스는 있어."
· "너 그렇게 구부정하게 앉아 있으면 지렁이처럼 뼈가 흐물흐물해
　진다."

Chapter 5

문제도 답도
식탁에 있다

문제도 답도
식탁에 있다

프랑스인들이 어떤 식으로 마법을 부리는지 알았으니, 이제 내가 프랑스식 육아법에 사로잡히게 된 계기를 살펴보기로 하자. 시작은 음식이었다.

두 아이의 엄마이자 뼛속까지 파리지앵인 친구 루시의 가족과 저녁 식사를 했던 밤으로 다시 돌아가 볼까 한다. 그 자리에서 이 역사적인 프로젝트가 시작되었다 해도 과언이 아니니까. 원래는 점심을 같이 하려 했다. 할렘에 사는 루시가 브루클린의 우리 집까지 와서 저녁을 먹기란 불가능해 보였다. 다시 할렘으로 돌아가 아이들을 씻기고 제시간에 재우려면 7시까지는 귀가해야 하는데 그러려면 적어도 5시에는 저녁을 먹어야 한다는 말이 된다. 그런데 루시는 아무런 망설임 없이 저녁을 먹으러 오겠다고 했다. 루시 가족이 5시쯤 오면 6시 30분부터 식사를 하기로 했다. 지하철로 1시간 이상 걸리는 거리라, 루시 부부가 졸음이 밀려온 아이들을 데리고 집으로 돌아가면 밤 10시는 되겠다 싶어서 좀 미안했지만 잠자코 있었다. 부부끼리는 수년째 친구로 지냈지만 한 번도 아이들이 어울릴 기회를 만들어주지는 못했던 터였다.

두 가족의 '운명적인 저녁 식사'는 타이밍도 적절했다. 루시의 큰딸은 여섯 살, 루시의 막내딸과 우나가 네 살로 동갑, 대프니가 두 살이었다. 아이들은 처음에 낯을 가리는 듯하다가 곧 방으로 사라져버렸다. 아이들은 자신들만의 놀이 세계에 빠져들고 어른들은 평화를 즐기는 단계로 접어든 것이다. 여러 면에서 무척 흡족했다. 일단 2개 국어에 능통한 루시네 아이들은 자연스럽게 영어와 프랑스어를 섞어 쓴다. 우리 딸들도 프랑스어를 한두 마디 습득하게 될지 모른다고 생각하니 이깨춤이 절로 났다. 둘째, 루시네 아이들은 놀랄 만큼 예의가 바르다. 이 역시 우리 아이들에게 전이될지 모른다. 셋째, 루시네가 우리 집에 온 지 45분이 지나도록 아이들이 고함을 지르거나 고자질을 하거나 떼쓰는 소리가 전혀 들리지 않았다. 뭔가 특별한 일이 벌어지고 있었다.

우나가 태어난 뒤 나는 아이들에게 포위된 상태로 친구들과 어울리는 데 익숙해졌다. 보통 저녁 모임은 밥을 입에 집어넣으면서 친구들과 소식을 나누는 한편 쓰러지지 않고 끝까지 살아남아야 하는 혼돈의 현장 그 자체였다. 우리 아이들과 친구 아이들이 벌이는 '공연' 사이에, 주인장과 요리사와 웨이트리스의 역할을 동시에 수행하면서 친구들과 교류하는 노하우도 터득했다. 그런데 루시 부부와 거실에 앉아서 아이들의 방해 없이 와인 잔을 들고 우아하게 대화를 나누고 있으니 꿈만 같았다. 아이들이 내게 허락해준 이 행운이 그저 놀라울 따름이라고 호들갑을 떠는 나와는 달리 존과 루시는 대수롭지 않다는 반응이었다. 그들에게는 '세 살짜리 아이가 걷는다'는 말만큼이나 당연한 일인 것 같았다. 그렇게 순풍이 계속 불고 있던 중 나는 식탁을 차리려고 일어섰다. 그러자 루시가 프랑스어로 뭐라고 소리쳤고, 잠시 후 루시네 두 아이가 내 옆에 와서 섰다. 나와서 거들라고 한 모양이었다. 신기하게도 아이들은 재깍 말을 들었다.

저녁 내내 이렇게 어리둥절한 상황이 연달아 이어졌다. 루시네 아이들이 예의 바르다는 사실은 알았지만 식탁에서 보여준 매너는 가히 충격적이었다. 나는 평소 하던 대로 두 가지 식사를 준비했다. 하나는 어른용 식사, 나머지 하나는 좀 더 간단한 재료로 제발 먹어주기를 기원하며 만든 아이용 식사였다. 그날 저녁 아이용 식사는 마카로니 치즈, 얇게 썬 망고, 껍질콩이었다. 분명 히트작이 될 거라고 확신했다.

그런데 프랑스 아이들은 어른용 식사로 준비한 레몬과 올리브를 넣은 가지 타진모로코식 스튜과 쿠스쿠스좁쌀 모양 파스타에 관심을 보였다. 여섯 살배기 루시네 큰딸은 한입 먹을 때마다 가지를 그릴에 먼저 구웠느냐 등의 조리법까지 물었다. 음식에 대한 아이의 지식과 관심은 놀라웠다. 게다가 아이들에게는 포크나 하나씩 쥐어주면 될 줄 알았는데, 루시네 딸들은 식탁에 앉자마자 정중하게 나이프를 부탁했다.

나는 공룡과 하트 그림이 그려진 아이용 플라스틱 포크를 바로 걷어 가고 어른용 나이프와 포크로 바꿔 줬다. 루시네 아이들은 음식에 관한 한 아이 취급을 할 필요가 전혀 없었다. 두 프랑스 아이가 저녁을 맛있게 먹는 모습을 보고 있으려니 뿌듯함과 씁쓸함이 동시에 찾아 왔다. 루시가 일구어낸 이 빛나는 업적이 부럽기 그지없었다. 그동안 우리 딸들을 아무것도 모르는 어린애 취급이나 했다는 자책감은 곧 나도 할 수 있다는 의욕으로 바뀌었다. 나도 우리 아이들에게 음식 사랑하는 법을 가르쳐주리라!

사랑하려면 먼저 존중해야 한다. 그리고 그런 존중은 그냥 생기지 않는다. 프랑스인들은 수백 년 동안 음식을 존중하는 문화를 발전시켜왔다. 매일 먹는 빵과 치즈, 그리고 각종 소스까지 존중하고 보존하려는 프랑스인들의 노력은 문화 구석구석에 배어 있다. 예를 들어, 프랑스의 인기 요리 프로그램 〈프티르노의 일상 탈출Les escapades de Petitrenaud〉의 진행자는 최근 방송에서 햄 요리를 선보인 뒤 이렇게 말했다. "어린이 여러분, 이 장봉 드파리Jambon de Paris를 먹으면 루이 14세가 옆에 있는 듯한 기분이 들 거예요." 꼭 왕이 아니더라도 음식 하나를 먹을 때마다 아이들에게 그런 길잡이가 되어주는 인물이 있으면 얼마나 좋겠는가!

프랑스 학교에서 아이들이 먹는 점심을 살펴보자. 매주 월요일마다 일주일의 메뉴가 공개되므로 부모들은 아이가 뭘 먹고 다니는지 알 수 있다. 학교 점심은 전채, 샐러드, 주요리, 치즈 플레이트, 디저트 등 다섯 가지 코스로 이루어지며 적어도 한 달 동안은 같은 요리가 두 번 나오지 않는다. 주간지 〈타임Time〉의 파리 특파원 비비언 월트Vivienne Walt는 "프랑스 학교는 이렇게 다양한, 그리고 정말 맛있어 보이는 점심 메뉴와 더불어 아이를 위한 저녁 메뉴까지 추천해준다"고 했다. 아이를 프랑스 학교에 보내고 있는 월트는 미셸 오바마를 빗대어 다음과 같이 말했다. "프랑스 영부인은 국민들에게 올바른 식습관을 장려한다며 엘리제궁전에서 채소 텃밭을 가꾸지 않아도 된다. 올바른 식습관이 이미 자리 잡혔기 때문이다. 음식을 중요하게 생각하는 프랑스인들은 충분히 시간을 두고 여유 있게 식사를 한다."

내가 프랑스 학교 점심 메뉴에 과도하게 열광하는 것일 수도 있지만 이들은 분명 선도적이다. 얼마 전 프랑스 정부는 올바른 식습관 장려를 위해 학교와 대학 식당에서 법적으로 케첩을 퇴출시켰다. 다만 감자튀김에는 따라 나온다. 케첩은 퇴출시키는데 감자튀김은 제공한다는 점이 모순이긴 하지만, 어쨌든 이를 통해 프랑스인들이 입으로 들어가는 음식에 얼마나 신경을 쓰는지 잘 알 수 있다. 프랑스 아이들은 아주 어린 나이부터 그 가치를 배우며 자란다. 프랑스 중서부 루아르 계곡의 한 학교에서는 학생들이 '누에콩을 곁들인 콘샐러드와 훈제 오리, 싱싱한 채소를 곁들인 훈제 연어와 아스파라거스, 구운 감자와 당근과 찐 브로콜리를 곁들인 뿔닭' 등 주요리뿐만 아니라 디저트로 빨갛게 익은 딸기를 먹을지, 클라푸티과일을 넣은 파이의 일종를 먹을지, 냄새가 톡 쏘는 치즈와 프랑스 빵을 먹을지 선택할 수 있다.

이 얘기를 듣고 군침 도는 사람이 많을 것이다. 프랑스에 사는 친구로부터 그녀의 미국인 동료가 여섯 살짜리 아이를 파리 유치원에 처음 보내던 날 겪었다는 얘기를 전해 듣고 나는 허탈하게 웃을 수밖에 없었다. 그 엄마는 아이를 유치원에 데려다 주고 나오는 길에 유치원 측으로부터 주간 점심 메뉴를 받았다고 한다. 집으로 가는 지하철에서 메뉴를 꺼내 읽던 엄마는 패닉에 빠졌다. 아는 음식이라고는 쿼사디아와 치킨 너겟밖에 없고, 점심엔 땅콩버터 샌드위치를 먹던 아들이 파스닙 퓌레_{설탕당근이라고도 하는 미나리과 식물 파스닙을 으깨 물을 조금 넣고 걸쭉하게 만든 음식}와 라타투이_{프로방스풍 채소 스튜}에 어떤 반응을 보일지 안 봐도 뻔했기 때문이다. 그 점심 메뉴에서 아들이 알 만한 음식은 빵과 딸기뿐이었다. 아이가 엄청난 정신적 충격에 빠진 것이 분명했다. '헌신적인' 엄마답게 그녀는 집으로 뛰어들어 가 땅콩버터로 '응급 샌드위치'를 만들어서 학교로 달려갔다. 어린 아들을 겨우 위기에서 구했다고 생각한 순간 그녀는 학교 관리자들에게 긴 꾸지람을 들어야 했다. 관리자들은 미국 엄마의 과잉보호에 질색을 하며 아이들은 배가 고프면 뭐든 먹는다고 잔소리를 늘어놓았다. 결국 대타협이 이뤄져서 그 미국 소년은 나이프와 포크로 샌드위치를 먹었다고 한다.

프랑스인들은 학교에서부터 제대로 된 식사 여건이 갖춰져야 한다고 강조한다. 우나에게 도시락을 왜 남겼냐고 물어보면 시간이 부족해서 그랬다고 답한다. 프랑스 본토의 학교 점심시간은 미국보다 훨씬 길고 식사의 질도 훨씬 높다. 프랑스 정부는 학교 급식에 미국의 세 배에 달하는 예산을 책정한다. 이렇게 쓰는 돈이 잘 쓰는 돈 아닐까? 프랑스 학교 식당에는 스푼과 포크를 한데 합쳐놓은 스포크 따위는 없다. 예전에는 실수로 우나의 도시락에 포크를 넣어주지 않아도 학교에 스포크가 있을 테니 다행이라 생각했다. 하지만 프랑스 본토 학교에서는 뜨겁게 덥힌 접시에 음식을 담아 주고, 제대로 된 칼과 나이프, 유리 물잔을 제공한다는 얘기를 듣고 나니 짜증이 밀려왔다. 프랑스인들은 확실히 음식을 존중하는 법을 가르치는 데 중점을 두고, 점심시간을 교육의 연장으로 여기는 것 같다. 미각을 공부하고 계발하지 않을 이유가 어디 있겠는가? 음식, 식사의 절차, 예절, 관습 등은 여느 과목이나 다름없이 중요하다. 우리는 모두 먹어야 산다. 따라서 아이들은 올바르게 먹는 법을 배워야 한다! 우리 아이들이 프랑스식 교육을 받았다면 식탁에서 나한테 엉덩이를 내보이는 짓 따위 하지 않았을 것이다. 아이가 그런 짓을 했을 때, 내가 받았던 충격은 어마어마했다.

고통스러울 수도 있으니 각오를 단단히 하고 이 얘기를 듣기 바란다. 뉴욕 피츠퍼드에 있는 학교와 파리 외곽에 위치한 학교에서 제공하는 일주일간의 점심 메뉴를 비교해봤다.

프랑스 학교 점심	미국 학교 점심
· 감자튀김을 곁들인 비네그레트 드레싱 래디시와 아이스버그 레터스 샐러드 · 레몬을 곁들인 구운 생선 · 푹 삶은 당근 · 에멘탈 치즈 · 애플 타르트	· 핫도그
· 양상추 샐러드(레뮬라드 드레싱) · 겨자를 곁들인 닭볶음 · 조개 모양 파스타 · 쿨로미에^{부드러운 치즈} · 애플 콩포트^{잘게 잘라 설탕에 졸인 사과}	· 치킨 너겟 · 쌀밥 · 그레이비소스
· 간 파테와 오이피클 햄버거 · 완두콩과 당근 · 미몰레트 치즈^{중간 정도의 연한 치즈} · 신선한 과일	· 더블치즈버거와 포테이토칩
· 허브를 곁들인 오이 샐러드 · 매운 향신료를 넣은 소시지 · 렌틸콩 · 생넥테르 치즈 · 플로팅 아일랜드^{커스터드크림 위에 떠운 머랭}	· 토마토소스 치즈스틱 · 마늘 파스타
· 감자 샐러드 · 크림 셀러리를 곁들인 생선 요리 · 볶은 리마콩 · 요구르트 · 신선한 과일	· 페퍼로니 치즈 크러스트 피자

프랑스 학교 점심 메뉴는 실제로 미슐랭 가이드의 별 한두 개 정도는 받을 만한 수준이다. 유네스코가 프랑스 정찬을 2010년 세계문화유산으로 지정한 이유를 알 만하다. 프랑스 미식은 스톤헨지, 크렘린, 만리장성에 견주어 절대 뒤지지 않는다. 그리고 프랑스인들은 진심으로 자신들의 전통 음식에 자부심을 느낀다.

음식과 식사가 학교 수업과 동등하다면 프랑스 부모들은 아이들의 숙제를 정성껏 도와주고 있는 셈이다. 프랑스 가정에서 가장 중요한 일과는 저녁 식사다. 뭘 먹을지 결정하고, 음식을 준비하고, 식탁을 차리고, 그 음식을 먹는 데 온 가족이 많은 시간을 할애한다. 다른 프랑스 아이들과 마찬가지로 루시네 아이들도 매일같이 계란 흰자와 노른자를 분리하고, 날카로운 칼을 사용해서 재료를 썰고, 썬 재료를 뜨거운 냄비에 넣는다고 했다. 아이용 앞치마도 두른다. 물이 끓고 있는 가스레인지 옆 조리대에 올라앉기도 한다. 음식을 달군 오븐에 넣기도 하고, 껍질콩을 삶은 뒤에는 색이 변하지 않게 찬물에 담그는 요령도 배운다. 그리고 매일 식탁에 앉아서 세 가지 코스로 이루어진 식사를 즐긴다.

그러니 루시네 아이들이 우리 집에 놀러와서 보여주었던 조리법에 대한 관심이 우연은 아니었던 것이다. 프랑스 아이들에게는 아이용 식기를 따로 준비해줄 필요가 없고, 라비올리를 하트와 별 모양으로 빚어줄 필요도 없고, 제발 밥 좀 먹으라고 간청하지 않아도 된다. 그냥 부모가 가르친 대로 식사를 한다. 루시는 아이들의 식생활이 자신의 어린 시절과 다르지 않다고 했다. "유일한 차이점은 두부를 먹인다는 건데, 우리 친정엄마가 마음에 안 들어하시지. 그렇지만 우리 엄마는 줄담배를 피우고, 알레르기 따위는 꾸며낸 병이라고 생각하고, 치즈가 빠진 식사는 눈이 하나 없는 미녀와 같고, 채식주의자는 이단자라고 생각하는 세대니까. 신성한 저녁 식탁에 아무 맛도 없는 그 흉측한 사각형 음식을 어떻게 올리냐고 하셔."

어머니 입장도 이해는 간다. 어쨌건 두부는 루시와 아이들이 요즘 심취해 있는 '컬러 식단'을 완성하는 데 중요한 식재료가 된다. '하얀 식사'를 할 때는 두부와 함께 쌀밥, 엔다이브 샐러드, 브리 치즈를 차리고, 디저트로는 껍질 깎은 사과와 우유를 낸다. 어른들은 화이트 와인을 곁들인다. 루시네를 보니 아이들이 메뉴 짜는 데 매우 적극적이었다.

'분홍 식사'의 메뉴로는 직접 짠 자몽 주스가 가장 먼저 나온다. 이어 루시의 막내딸이 '연어!'라고 소리친다. 보통 네 살짜리는 생선을 잘 안 먹지 않나? 핑크 파스타와 비트 김붉은 뿌리채소 샐러드도 추가되고, 디저트로는 루시의 딸이 제안한 얼린 딸기가 채택된다. 토마토 소스와 염소 치즈를 섞으면 완벽한 핑크 파스타를 만들 수 있다고 한다. 이런 접근법을 통해 식사는 영양 공급원 이상의 역할을 하게 된다. 루시는 '분홍 저녁 식사'를 위해 장미꽃 봉오리를 넣고 얼린 얼음을 만들어 아이들을 더욱 즐겁게 해준다. 장미 얼음까지 따라 하기는 좀 버겁지만, 아이들이 음식을 사랑하도록 이끄는 데 성공한 루시를 본받아 나도 식사에 활기와 재미를 더할 수 있을 것 같다.

프랑스 스타일을 도입하기 전 우리 집 저녁 식사 풍경은 루시네와 사뭇 달랐다. 이것부터 고쳐보기로 했다. 어쩌다 이 지경이 됐는지 도저히 알 수가 없었다. 우리 13남매는 어렸을 때부터 오후 5시면 부엌으로 가서 식사 준비를 돕고, 매일 저녁 부모님과 함께 다 같이 모여 식사하고, 식탁에서 일어설 때마다 허락을 받고, 설거지와 뒷정리를 거들며 자랐는데 말이다. 하지만 시대가 바뀌었다.

그동안 우리 아이들에게 저녁을 먹일 때는 식탁을 차릴 필요가 없었다. 거실에서 먹거나 부엌 조리대에서 먹었으니까. 나는 애들이 채소를 먹는다고 하면 텔레비전 앞에서 식사해도 된다고 허락해줬다. 밥은 아이들이 제일 좋아하는 식기에 담아 줬다. 귀여운 만화 캐릭터가 그려진 플라스틱 식판이다. 네 칸으로 나뉘어 있는데 칸마다 다른 음식을 채웠다. 케첩 주문이 들어오면 그중 제일 작은 칸에 짜 넣었다. 때때로 우나가 부엌에서 포크를 집어 오기도 했지만 식탁 차리기라고 할 수는 없었다.

그때 내 주된 관심사는 어떻게든 영양가 있는 음식을 먹이는 것이었다. 주로 얼린 망고 같은 과일과 닭고기나 치즈 혹은 런천미트 같은 단백질, 시금치나 껍질콩 또는 아스파라거스 같은 채소를 식판에 올렸다. 그리고 깜짝 메뉴로 크래커나 말린 크랜베리, 병아리콩 스프레드를 바른 토스트 반쪽 등을 내놨다. 보통 저녁 식사가 이랬다. 간장을 듬뿍 뿌려줄 경우 두부를 먹기도 했지만 애들은 보통 "너무 흐물거려!"라는 불평을 쏟아내곤 했다.

기가 막힌 사실은 아이를 둔 친구들 대부분이 우리 집을 성공 사례로 꼽고 있었다는 것이다. "너희 집 애들은 어쩜 그리 잘 먹니?"라는 소리를 날마다 들었다. "시금치를 다 먹네! 우리 마일스는 녹색 음식에는 독이 든 줄 아는데."

식탁 예절은 더 까마득했다. 우리 집에서 열렸던 저녁 모임을 예로 들어보자. 방과 후 활동이 이상하게 꼬이면서 세 엄마와 다섯 딸이 우리 집에 모이게 됐다. 마침 집에 토르텔리니소를 넣은 미니 만두 같은 파스타 한 봉지와 냉동 껍질콩 한 봉지가 있어 자신 있게 식사를 준비했다. 장시간에 걸친 회유와 소몰이 끝에 마침내 아이들이 식탁 앞으로(혹은 근처로) 모였다. 그러나 한꺼번에 앉히는 데는 성공하지 못했다. 어느 순간 주위를 둘러보니 이런 광경이 펼쳐져 있었다.

- 여자아이 둘이 식탁에 앉아 조용히 음식을 입에 퍼 넣고 있었다.
- 우나는 식탁 밑에 들어가서 자기와 눈을 맞추지 말고 껍질콩만 건네달라고 주문했다.
- 한 엄마는 네 살배기 딸을 무릎에 앉혀놓고 제발 밥 좀 먹으라고 애원하고 있었다.
- 한 아이는 유모차에 앉아서 뭔가를 우적우적 씹어 먹고 있었다.
- 대프니는 접시를 들고 창턱에 올라가 앉았다.

여럿이 함께 모여 먹다 보니 아이들이 흥분해서 그럴 것이라 스스로를 위로했지만 마음속으로는 진짜 이유를 알고 있었다. 내 세대 미국 부모들은 아이의 자의식을 보호하고 감정을 존중한다면서 스스로 권위를 내팽개친 것이다.

토르텔리니 저녁 파티가 열렸던 날뿐만 아니라 사실상 매일같이 부엌에서 벌어지는 카오스는 미국 부모들이 신봉하는 육아법이 불러온 참사다. 부모가 아직 분별력이 모자란 아이들의 의견에 귀를 기울인다며 마음대로 선을 넘도록 내버려 둔 결과라 할 수 있다. 잠시 마음을 가다듬고 아이와 부모 사이 경계를 중시하는 프랑스식 육아법에 경의를 표하도록 하자. 프랑스식 육아법은 내 삶을 송두리째 바꿔놓았다.

우리가 처한 난관을 더 구체적으로 파악하기 위해 나는 다양한 연령대의 아이를 둔 미국 가정 스물다섯 집을 대상으로 저녁 식사 실태를 조사했고, 매우 중요한 사실 두 가지를 발견했다. 일단 아이의 식사 태도와 식습관에 대해 거짓말을 한 친구가 많았다. 친구들의 집을 직접 방문해서 눈으로 확인한 실상은 많이 달랐다. 또 저녁 6시만 되면 거의 서커스 수준으로 일인 다역을 수행하는 엄마가 나 말고도 많다는 사실을 확인했다. "어떤 식탁 예절이 가장 중요하다고 생각해?"라는 물음에 대략 다음과 같은 답이 돌아왔다.

1. 우유 컵 집어 던지지 않기. 고함지르지 않기. 다 먹고 식탁에서 일어설 때 양해 구하기.
2. 식탁에 발 올리지 않기. 식탁에 눕거나 엎드리지 않기. 음식 던지지 않기. 음식이 먹기 싫더라도 "난 이거 싫어. 구역질 나!"라고 말하지 말고 돌려서 표현하기.

3. 식탁에 장난감 올려놓지 않기. "베이비시터가 식탁에서 아이들에게 책을 읽어주는데, 그래서 애들 버릇이 더 나빠진 것 같아. 어른이 뭔가 재미있는 놀거리를 제공하지 않으면 밥을 먹지 않아."

전부 확 뜯어고칠 때가 됐다.

프랑스인들은 특히 식탁 예절에 관한 한 아이를 전투적으로 훈육한다. 몇몇 프랑스 가정의 식사 풍경을 관찰한 결과 미국 가정에서 목격한 무법 상태와는 극명한 대조를 이뤘다. 내 눈으로 직접 보지 않았다면 세 살짜리 프랑스 아이가 '비네그레트 드레싱'을 만들 줄 안다거나, 7세 미만 미취학 아동이 세 가지 코스가 나오는 동안 차분히 앉아 식사를 즐긴다는 얘기를 믿지 못했을 것이다. 프랑스 아이들은 가족 식사에 적극적으로 참여해야 하고 식탁에서 세련된 매너를 보여야 한다고 교육받으며 자란다. 우나와 대프니가 진흙투성이가 되어 집으로 오면 나는 당연히 아이들이 목욕탕으로 뛰어들어 가기를 바랄 것이다. 같은 맥락에서 프랑스 부모들은 식사 시간이 되면 아이들에게 예절을 기대한다.

지인인 미국 엄마 틸리는 프랑스 친구와 함께 아이들을 데리고 외식했던 경험을 쓸쓸한 표정으로 털어놨다. 틸리의 세 아이가 테이블 밑으로 기어들어 가고 엄마를 타고 오르며 난리 치는 동안 프랑스 친구의 아이들은 차분히 앉아서 주문을 하고 음식이 나올 때까지 예의를 갖춰 기다린 뒤 맛있게 먹었다는 것이다. 프랑스 친구에게 대체 어떻게 가르쳤냐고 물었더니 "이건 타협의 여지가 없는 문제야. 우리는 음식에 대해선 아이들에게 절대 양보하지 않아"라고 답했단다. 프랑스인들이 비교적 가볍게 생각하는 식사는 아침이다. 점심 저녁과 달리 한 가지 코스로 이루어지는데, 그래도 다른 일을 하면서 먹는 법은 없다. 우리 아이들은 게임에 미련이 남아서 시리얼을 방으로 들고가 먹으면 안 되냐고 묻곤 하는데….

프랑스 아이들은 아예 이런 질문 자체를 하지 않는다. 아주 어렸을 때부터 먹는 행위는 식탁에서만 이루어진다고 교육받기 때문이다. 프랑스인들은 아이들의 '먹는 습관'을 그르칠까봐 학교에 음료와 간식 자판기 설치도 금지했다. 오후 1시쯤 프랑스 고속도로를 달리다 보면 길가에 차를 세우고 점심을 먹기 위해 피크닉 테이블을 펴는 사람들을 쉽게 볼 수 있다. 한 손에 샌드위치를 들고 먹으면서 운전하는 프랑스인은 거의 없다. 걷거나 운전하면서 음식을 먹는 것보다 텔레비전 앞에서 음식을 먹는 것이 더 좋지 않다.

미국과 영국 부모들은 아이들의 입을 막고 숨 돌릴 틈을 찾기 위한 방편으로 텔레비전에 의존한다. 그야말로 나쁜 습관이다! 절대 해서는 안 될 짓이다. 아이들이 텔레비전을 보면서 밥을 먹으면 칼로리를 약 40% 더 많이 섭취한다는 연구 결과도 나왔다. 프랑스인들과 비교하면 우리는 정말 생각 없는 부모인 셈이다. 음식을 존중해야 식사 문화도 향상된다. 미국 학교의 급식 문화를 단기간에 뜯어고칠 수는 없겠지만 문제점을 정확히 인식하고 각 가정의 저녁 식탁부터 바꾼다면 첫 단추를 잘 끼울 수 있다.

무엇보다 아이가 저녁 식탁에 앉아 군소리 없이 밥을 잘 먹게 만들려면 방과 후 간식부터 줄여야 한다. 부끄럽지만 내 경우 아이들이 간식을 달라고 조르면 속절없이 무너지곤 했다. 프랑스 아이들은 대개 학교에서 돌아오면 딱 한 차례 '구테Goûter'라고 부르는 간식 시간을 갖고 저녁 식사 때까지 버틴다. 프랑스 부모들도 종종 늦게까지 일하기 때문에 저녁 먹는 시간이 너무 늦다 싶을 때가 많다. 우리 딸들도 이제 항상 포식하려는 버릇을 버리도록 가르쳐야 할 것 같다. 쉽진 않겠지만 불가능하지도 않다.

　루시네 아이들의 기적 같은 식탁 예절을 직접 목격했고 그 기적이 대다수 프랑스 가정에서 일어나고 있다는 사실을 전해 듣긴 했지만, 여전히 나는 증거와 조언이 더 많이 필요했다. 그리하여 평소 알고 지내던 프랑스 엄마 디안과 오후를 함께 보내기로 했다.

　우리는 오후 1시에 만나 아이들이 하교하기 전 장을 보러 갔다. 디안과 나는 장보기의 개념부터 달랐다. 일단 나는 슈퍼마켓에서 모든 쇼핑을 해결하는 데 반해 디안은 품목에 따라 다양한 장소에서 쇼핑을 했다. 게다가 슈퍼마켓에 들어가서 카트 대신 바구니를 집어 들지 않는가? 나는 항상 사야 할 물건이 흘러넘쳐 카트를 끄는데 디안은 바구니를 들고 꼭 필요한 물건만 골라 담았다. 여기서 첫 번째 조언, 장 보러 갈 때 필요한 물건을 미리 파악하라! "미국 사람들은 슈퍼마켓에 가면 휘휘 둘러보다가 이것저것 담아서 카트를 꽉꽉 채우더라고. 진열된 물건을 하나씩 다 사보려는 것 같아. 사실 뭘 요리할지 미리 생각하고 가면 그렇게 많이 사지 않아도 되거든." 우리는 농산물, 주스, 고기, 델리 코너를 지나쳐서 계속 멈추지 않고 앞으로 나아갔다. 이러려면 뭐하러 슈퍼마켓에 왔나 궁금해질 정도였다.

디안은 검은콩 통조림 세 캔과 생선 요리에 필요한 옥수숫가루 한 봉지, 버터, 우유, 두유, 얼린 시금치, 건조 라자냐, 요구르트, 시리얼 두 상자를 샀다. 머뭇거리거나 망설이는 기색 따위는 없었다. 인스턴트식품에는 눈길도 주지 않았다. 그녀가 군것질거리는 하나도 사지 않았다는 사실을 뒤늦게야 깨닫고 어찌 된 영문인지 물어봤다. 그 집 아이들은 학교에서 돌아오면 빵에 잼을 발라 먹는다고 했다. "물론 과일도 먹어"라고도 했다.

디안이 보기에 미국인들은 아이 식사 준비에 아무런 공을 들이지 않는 것 같단다. "미국 사람들 집에 가면 냉장고를 들여다보면서 먹을 게 없다고 걱정을 늘어놓더라고. 근데 내가 보기엔 그만하면 충분하거든. 손 하나 까딱 안 하고도 아이들에게 먹으라고 던져줄 수 있는 인스턴트식품이나 개별 포장 제품이 없을 뿐이지. 나는 그런 제품은 사지 않으려고 노력해." 이어 살짝 변명조로 덧붙였다. "다만 수프는 조리된 제품을 사. 내가 직접 만들면 그 맛이 안 나서." 디안보다 일상이 빡빡한 대부분의 미국인들이 그녀의 사례를 그대로 따르기는 힘들 것이다. 그러나 그 일상의 근간을 이루는 혁명적 철학에는 주목할 필요가 있다.

두 번째 조언, 게으름을 극복하라! 손을 움직여 음식을 장만하라. 디안과 나는 슈퍼마켓에서 나와 농산물 시장으로 가서 '나흘치 과일과 채소'를 사고, 고급 식품점에 들러 빵을 샀다. "어쩌겠어, 우리 식구 입맛이 고급인걸." 생선은 디안의 남편이 퇴근하면서 사온다고 했다. 원래 남편의 임무라고 한다. "내가 다 할 수는 없잖아." 세 번째 조언, 가족 전체를 끌어들여라!

학교에서 돌아온 디안의 두 아이들은(각각 다섯 살, 여덟 살이다) 부엌으로 가더니 맛있어 보이는 빵 두 조각에 블랙베리 잼을 발라 순식간에 먹어치웠다. 이후 저녁 식사 때까지 식탁에 놓인 과일 외에 다른 군것질은 하지 않았다. 우리 딸들과 달리 이 아이들은 배가 고픈 척 연기하면서 "과자 좀…"이라고 조르지도 않았다. 네 번째 조언, 규칙을 고수하라! 디안에 따르면 그 집 아이들이 먹을 걸 더 달라고 조르지 않는 이유는 졸라도 절대 나오지 않는다는 사실을 잘 알기 때문이라고 한다. "오후 내내 군것질을 하면 저녁을 안 먹을 테니까 안 되지."

디안은 워킹맘이지만 수요일에는 출근하지 않는다. 그 덕분에 그녀의 일상을 바로 옆에서 들여다볼 수 있었던 것이다. 디안보다 바쁜 프랑스 엄마들도 가족을 위해 식사를 준비하고, 다 함께 식사를 하며 즐거움을 나누는 행위가 지상 과제라 생각하고 있었다. 또한 이런 지상 과제를 수행하기 위해 이떤 투쟁이라도 빌일 준비가 되어 있는 듯했다. 일 때문에 여유가 없다고? 그럴 수 있다. 하지만 프랑스에서는 온 국민이 단체로 담배를 끊었으면 끊었지 흐트러진 식탁 매너나 전자레인지에 데운 음식은 결코 용납하지 않는다. 뭐, 과장은 좀 섞였지만 요점은 전달됐으리라 믿는다. 디안은 "어떤 날은 직장에서 파김치가 돼 집에 오기도 하는데, 그래도 우린 피자를 시켜 먹거나 샌드위치로 때우지 않아. 직접 요리한 음식을 음미하며 먹는 과정이 중요하니까. 그게 바로 프랑스 스타일이지." 다섯 번째 조언, 가족 식사를 경외하고 신성하게 여기라!

역설적이지만 나는 디안이 미국에 살기 때문에 보통 프랑스인보다 저녁 식사에 더 열성을 보인다고 생각한다. 프랑스 본토에 가서 보니 대부분 성찬을 토요일이나 일요일로 미루고 평일 저녁은 가볍게 먹었다. 어차피 아이들은 학교에서 코스로 이루어진 점심 식사를 하고 오기 때문에 영양 균형을 걱정할 필요가 없다. 한 프랑스 엄마는 적어도 2주에 한 번은 저녁 식사로 '에그 솔저'를 낸다고 했다. 반숙으로 삶은 달걀을 작은 컵에 담고 가늘게 자른 식빵 조각을 노른자에 찍어 먹는 음식이다. 이름은 참 근사한데 알고 보면 달걀 반숙이 전부다.

어떤 상황이라도 한계를 뛰어넘자. 식탁보, 나이프와 포크, 유리잔 등을 갖춰 제대로 차려놓은 저녁 식탁 앞에 내 아이가 신 나게 달려와 앉아서 천으로 된 냅킨을 두르고 맛나게 식사하는 장면을 상상해보라. 이 시점에서 다음과 같은 프랑스 식탁 예절 몇 가지를 적용한다면 금상첨화일 듯!

규칙 1. 엄마가 냅킨을 무릎에 펼칠 때까지 아이는 밥에 손을 대지 말고 기다려야 한다.

규칙 2. 엄마나 아빠가 짧은 기도나 건배 제의를 하기 전에 아이들이 먼저 먹거나 마셔서는 안 된다. 바꿔 말하면, 아이들이 식사

할 때 엄마 아빠도 같이 식탁에 둘러앉아야 한다는 뜻이 된다. 우리 집에서는 기도를 생략한다.

규칙 3. 식사 시간에 손은 항상 식탁 위에 놓아 두어야 한다. 손을 무릎 위로 올리거나 게임기를 들고 있어서는 안 된다는 뜻이다.

규칙 4. 빵은 접시가 아니라 식탁보 위에 놓는다.

규칙 5. 음식 거부는 용납하지 않는다. 매우 중대한 잘못이다. 특히나 이 사항을 교화하려면 만만찮은 노력이 필요하다.

규칙 6. 식사를 마쳤으면 접시 중앙을 향해 포크와 나이프를 가지런히 놓는다. 너무 고지식하게 들리나?

규칙 7. 아이들이 식사 중 식탁을 떠나려면 반드시 프랑스어로 허락을 구해야 한다. 물론 농담이다. 그래도 실제 내 아이가 그런다면 귀엽지 않을까? 프랑스에서는 식사가 몇 시간씩 지속되기도 한다. 이런 마라톤 식사 중에는 다음 코스가 나오기 전까지 아이들이 식탁에서 일어나 잠깐 놀 수 있다.

루시와 디안에게 이토록 훌륭한 정보와 조언을 얻고 나서도 나는 여전히 우리 집 식탁을 변화시킬 엄두가 나지 않았다. 겁을 먹었다는 표현도 당시 내 심리 상태를 표현하기에는 부족하다. 나쁜 습관은 터미네이터와 같아서 잘 죽지 않는다. 처음엔 우리 가족이 음식을, 특히 저녁 식사를 프랑스 스타일로 바꿀 만큼 의지가 강한지 의심스러웠다. 남편과 나는 일과를 마치면 녹초가 된다. 아이들은 치킨너겟과 슈퍼마켓에서 파는 스파게티 소스에 비빈 파스타에 맛을 들여서 일주일에도 서너 번은 찾는다. 하지만 예의도 바른 데다 음식다운 음식에 대한 '조예'마저 깊었던 루시네 아이들을 생각하며 마음을 다잡았다.

무척 고통스러웠음을 인정한다. 간식을 줄이고, 반조리 식품을 더 이상 식탁에 올리지 않기로 방침을 정하니 아이들의 저항이 심했다. 특히 대프니는 이가 나면서부터 하루도 빠짐없이 먹었던 프레즐, 말린 망고, 라이스크리스피튀밥에 마시멜로와 버터를 부어 굳힌 과자를 끊자 충격이 심했는지 종종 매켄로로 돌변하여 바닥에 드러누웠다. 사실 몇 달간 훈련을 거친 지금도 대프니는 군것질을 못 하게 한다고 불만이 많다. 그렇지만 고맙게도 속으로만 투덜댈 뿐 표출하진 않는다. 그래 봤자 소용없다는 사실을 이제 알았기 때문일 것이다. 아이들의 식욕이 왕성해져서 매일 저녁 식탁으로 달려오기만 한다면야 그런 불평 쯤은 얼마든지 견뎌낼 수 있다. 그리고 바라던 대로 되어가고 있다!

식탁에서도 혁명이 일어났다. 가능한 한 매일 저녁 다 같이 모여 식탁에서 밥을 먹기로 원칙을 정했다. 식구들 모으기는 식단 정하기에 비하면 새 발의 피였다. 아이들 음식뿐 아니라 우리 부부가 먹는 음식에도 무감각했다는 사실이 식탁 혁명을 통해 드러났다. 그동안 우리 부부는 고기 한 덩어리, 고린내 나는 치즈, 채소 몇 조각으로 대충 차려 먹었는데, 그런 밥은 아이들이 입에도 대지 않을 것이었다. 자연히 식단 짜는 데 공을 들일 수밖에 없었다.

대프니가 군것질 금단 증상으로 힘들어했다면, 나는 어른과 아이를 모두 만족시킬 수 있는 저녁 메뉴를 개발해야 한다는 압박에 시달렸다. 우습게도 어릴 적 친정엄마가 늘 하던 바로 그 고민이다. 기쁜 마음으로 밝히는데, 꾸준한 훈련을 통해 매일 나아지고 있다. 약간의 시행착오를 거쳐 우리 식구만의 레퍼토리가 개발되고 있는 중이다.

물론 프랑스 부모들의 잣대로 보면 성과는 아직 보잘것없다. 하지만 6개월 전에 누군가 내게 "우나가 생선 타코를 잘 먹네요"라고 했다면 결코 믿지 않았을 것이다. 식당에서 격식을 갖추어 식사하는 행위 자체와 자신에게도 '어른 음식'이 제공된다는 우쭐함이 아이들을 자극하여 '모험적인' 식사에 도전하고 관심을 갖게 만드는 것 같다. 여전히 차려놓은 음식을 안 먹겠다고 거부하는 경우가 있기는 하지만 빈도는 현저히 줄어들었다.

식탁 예절 익히기는 속도가 더디다. 얼마 전 우나는 갓 태어난 병아리들을 주말 동안 데리고 있겠다며 유치원에서 안고 왔다. 주말 손님들 때문에 너무 흥분해서 밥 따위는 안중에도 없었던 아이가 식사 중에 허락도 받지 않고 계속 병아리를 보러 왔다 갔다 했다. 내가 규칙을 어겼다고 나무라자 우나는 반격을 시도했다. "무슨 상관이야, 엄마! 우리는! 프랑스 사람이! 아니잖아!" 여기서 앞서 말한 조언을 약간 수정하겠다. 변화를 시도할 때 아이들에게 너무 투명하게 다 공개하지 말라! 하지만 어쨌든 이런 저런 우여곡절을 겪으면서도 우리는 천천히 전진하고 있다.

나는 특히 프랑스 꼬마들이 일상적인 대화에서 음식을 소재로 이야기하는 모습을 보면 그렇게 신기하고 재미있을 수가 없다. 우리 딸들에게 음식에 대한 관심을 심어주려는 이유도 상당 부분 이 때문이다. 프랑스 아이들은 음식에 관심과 애정을 갖도록 교육받는다. 음식을 즐길 줄 모른다는 말이 아이들 사이에서는 상대방에 대한 모욕의 도구가 되기도 한다. 언젠가 비행기에서 기내식을 먹으며 영화 〈팀퍼틸 아이들Les enfants de Timpelbach〉을 보다가 웃음이 터져 달걀이 코로 나온 적이 있다. 영화에 나오는 아이 하나가 다른 아이에게 욕을 한답시고 이렇게 말했기 때문이다. "너희 엄마는 채식주의자야!" 나는 채식주의에 아무런 반감이 없지만 그 대사를 듣고 웃음을 참을 수가 없었다. 프랑스에서 '너희 엄마는 푸아그라도 안 먹지?'라고 하면 미국에서 '너희 엄마는 뚱뚱보야!'라고 하는 것과 같은 의미가 되나?

변화를 시도하면서 생각을 바꾸고 나니 여러 가지 이점이 많다. 미셸 오바마가 딸들에게 과자 대신 신선한 과일을 먹이게 된 이유가 프랑스 전통 육아법 때문인지는 확실하지 않다. 또 제이미 올리버가 미국 학교의 허접한 점심 식단을 갈아 엎는다는 주제로 2010년 텔레비전 쇼 〈제이미 올리버의 음식 혁명Jamie Oliver's Food Revolution〉을 시작하게 된 계기가 파리의 학교와 연관되어 있는지도 밝혀진 바 없다. 하지만 분명 뭔가 긍정적인 변화가 일어나고 있다. 미국 전역에 농산물 시장이 우후죽순처럼 생겨나고 있다. 학교에서 탄산음료 자판기를 퇴출하자는 운동도 일고 있다. 지역 농산물만 소비하는 사람을 뜻하는 '로커보어Locavore'는 이제 흔한 단어가 됐고, 대형 할인마트조차 유기농 식품 판매에 열을 올린다. 혁명 만세!

Chapter 6

자율과 독재의
미학

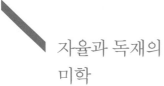

자율과 독재의
미학

　앞서 언급한 프랑스, 미국, 영국 예비 부모들의 출산 준비물 목록을 비교해보고 이미 충격을 받은 독자들에게는 미안하지만, 마찬가지 경향이 출산 뒤에도 이어진다는 말을 할 수밖에 없다. 미국 아이들은 태어나기 전부터 이래저래 선물을 너무 많이 받는다. 게다가 이렇게 선물이 쌓여도 그중 기껏 해야 2% 정도만 실제로 사용한다.

　프랑스에서는 이런 문제가 생기지 않는다. 아이와 부모 사이 경계를 명확히 하는 전통과 규율 덕분일 것이다. 하지만 방법을 파악했다고 해서 누구나 성공적으로 실행에 옮기지는 못한다. 비행기가 공중에 뜨는 원리를 알아도 다 조종은 할 수 없듯이 말이다.

　우리 딸들도 태어날 때부터 자신들의 물질적 욕구가 당연히 충족되어야 한다고 생각하며 자란 터라, 아이들의 요구를 우아하고 세련되게 거절하는 요령이 절실했다. 우나와 대프니가 아주 어릴 때는 뽑기 기계에서 나오는 싸구려 장난감으로도 충분히 만족시킬 수 있었다. 하지만 나이가 들수록 점점 비싸고 좋은 물건을 바라게 됐다. 나는 여전히 '아이들이 그렇게 갖고 싶다는데 수달 인형 하나에 13달러면 어때'라고 스스로 주문을 건다.

수달 인형을 향한 애정은 지금 닌텐도 DS로 옮겨 갔다. 그런데 불쌍한 우나는 어느 순간 우리로부터 "뭔가 갖고 싶다면 노력으로 얻어야 한다"는 말을 듣게 됐다. 나도 믿기 힘들지만, 얼마 전 우나에게 "돈이 그냥 나무에서 열리는 줄 아니?"라는 말도 했다. 물론 이런 말은 우나에게 전혀 먹히지 않는다. 우나는 아직 경제관념이 없다. 우리가 엄청나게 부유하기 때문이 아니라 단지 아이를 실망시키지 않으려고 지금까지 뭐든 다 들어줬기 때문이다. 예를 들이, 매년 크리스마스 무렵 아이들이 갖고 싶은 장난감을 얘기하면 그때마다 아마존 사이트에 들어가 장바구니에 담아둔다. 물론 '일단 담아두고 나중에 추려야지'라고 다짐하지만 실제 삭제한 적은 거의 없다. 지난 6년간 나와 남편은 늘 다음과 같은 대화를 나눴다.

"여보, 애들 선물 사야 해. 이리 와서 아마존 장바구니 좀 보고 같이 결정해줘."

"잘 골랐네. 애들이 정말 좋아하겠다. 그냥 다 사지, 뭐. 내 마음 알잖아. 돈만 되면 아이들에게 최고의 크리스마스와 하누카 12월에 열리는 유대교의 빛 축제를 만들어주자고. 당신, 이번에도 내 선물은 살 필요 없어."

"알았어. 나도 선물 필요 없어. 그럼 결제한다."

이렇게 구매가 이뤄지곤 했다.

아이들은 너무 많은 '노획물'을 확보한 반면 남편과 나는 서로 아무것도 주고받지 않은 것이다. 부부 관계에 이보다 더 안 좋을 수는 없다. 지금까지 아이들이 지나치게 사치스러운 물건을 요구한 적은 없었다. 아이라면 누구나 갖고 싶어 하는 조랑말을 사달란 적은 있었지만 "산타 할아버지는 산 짐승을 취급하지 않아"라는 말로 쉽게 포기시켰다. 그런데 프랑스 부모들과 얘기를 나눠보니 그저 아이를 너무 사랑해서 크리스마스 아침에 기뻐하는 모습을 보고 싶었을 뿐인 우리의 접근 방식이 무책임 그 자체였음을 깨달았다.

최근 프랑스를 여행했을 때 테제베TGV를 타고 가다 여덟 살 쌍둥이 딸을 둔 프랑스 부부와 대화할 기회가 있었다. 시골 할아버지 댁에 가는 길이라고 했다. 우리 집의 크리스마스 아침 풍경에 대해 얘기를 꺼내자 조금 충격을 받은 듯했다. "글쎄요…." 프랑스 아빠가 말했다. "아이들에게 선물을 너무 많이 해주면 안 될 것 같아요. 아이를 위하는 길이 아니에요. 계속 그렇게 하다간 아이의 물욕만 키우게 되고, 뭘 받아도 만족을 모르게 될 거예요." 프랑스인들은 자기주장이 강하기로 유명하다. 그런데 이런 종류의 문제에 관한 한 그들의 눈이 정확할 때가 많다.

하누카에는 왜 선물을 주냐고? 우리 신랑의 외가가 유대계다. 하지만 외할머니 세대까지만 유대교 전통을 충실히 따랐을 뿐이다. 시부모님은 남편이 아주 어렸을 때 수피교이슬람의 신비주의 교파를 믿으며 정기적으로 명상 모임에 참석한 적도 있다. 시아버지는 개신교 집안 출신, 시어머니는 유대인이지만 무교에 가까웠다. 그 덕에 어려서 크리스마스와 하누카를 함께 기념했던 남편은 아이들에게도 똑같은 즐거움을 주자고 했다.

두 배의 행복! 두 배의 재미! 우리는 크리스마스에 더해 8일간의 하누카 행사를 경험하게 해주면 아이들의 유년 시절 기억이 훨씬 풍성해지리라 믿었다. 이제 고백하는데, 그저 플라스틱 장난감으로 집이 터져 나가게 될 뿐이다. 어느 날 우나가 학교에서 욤 키푸르^{유대교의 속죄일}가 곧 다가온다는 얘기를 듣고 잔뜩 흥분해서 내게 물었다. "엄마! 나도 절반은 유대인이니까 욤 키푸르를 기념해야 하잖아. 우리 뭐 살까?" 우나는 욤 키푸르를 기념하려면 24시간 동안 금식해야 한다는 설명을 듣더니 잠잠해졌다.

이 모든 상황에 대해 내 인내심이 언제 바닥을 드러냈는지 정확히 기억한다. 노르망디 출신의 프랑스 엄마 쥘리에트와 얘기하다가 "네 아이들은 선물을 얼마나 자주 받니?"라고 물었다. 그녀는 잠시 생각하더니 "1년에 세 번. 생일에 받고, 한 학년이 끝나는 날에도 받아. 1년 동안 열심히 공부했다고 특별히 주는 거지. 그리고 하누카에 받지"라고 답했다. 쥘리에트는 가톨릭 집안에서 자랐지만 미국인 남편이 유대인이어서 개종했다. 그리고 크리스마스와 하누카 중 하누카를 선택한 것이다.

어쨌든 여기 미국에서 우리는 양쪽 다 챙긴다. 남편과 나는 그리 독실한 신자도 아니다. 하지만 명절 특유의 활기가 좋다. 제발 내가 너무 유별난 엄마로 분류되지 않기를 간절히 바라며, 쥘리에트에게 아이들 선물로 뭘 주냐고 물었다.

"생일엔 좀 좋은 걸 사 줘. 올해는 우리 아들이 휴대용 비디오게임을 갖고 싶다 해서 그걸 사 줬어."

"음, 또?"

캐물을 수밖에 없었다.

"아, 또 있다."

쥘리에트가 말했다. 역시!

"미국 시댁에서 커다란 상자에 이것저것 넣어 보내셨어."

후유….

쥘리에트가 학년 말에 사 줬다는 선물은 우리 아이들이 아주 긴 시간 차를 타고도 별 말썽을 안 부렸을 때 내가 사 주는 게임이나 동물 인형 수준이었다. 무엇보다 그녀가 지난해 하누카에 아들에게 사 줬다는 선물이 놀라웠다. "너무 비싼 스타워즈 레고 세트를 정말 갖고 싶어 하더라고. 그래서 사 줬어. 전체 세트를 작은 가방 일곱 개에 나눠 담아서 매일 밤 하나씩 줬지. 그리고 마지막 날 밤에 설명서를 줬어. 조립해보라고. 그랬더니 정말 좋아하더라."

우리 애들한테 그렇게 했다면 아마 나를 묶어놓고 지난번 쇼핑몰에 갔을 때 우나가 졸라서 사 줬던 젓가락으로 찔러댔을 것이다. 선물에 대한 우나와 대프니의 기대치가 너무 높아져서 쥘리에트가 사용한 '포장 기법'이 과연 통할까 싶었다. 하지만 쥘리에트의 말을 듣고 우리 집 크리스마스 아침 풍경을 좀 바꿔봐야겠다는 생각이 들었다. 선물을 발견한 아이들의 격한 기쁨이 이내 가라앉고 나면 예외 없이 아쉬운 소리가 한두 마디 새어 나온다. 원래 갖고 싶었던 선물이 빠져 있다고. 장난하냐?

이는 내가 항상 기억에서 애써 지워버렸던 대목이다. 이제 불편한 진실을 정면으로 맞닥뜨릴 때가 되었다. 진짜 대화가 필요한 순간이다. 이런 물량 공세는 천박하기 짝이 없다. 절대 아이들에게 보여서는 안 될 본보기다. 12월 25일마다 쓰레기를 양산하지 않아도 좋은 추억을 만들 수 있다. 한 프랑스 아빠에 따르면 프랑스인들은 선물을 마련할 때 반드시 상한선을 정한다고 했다. 그래서 지난해 말 남편과 나는 아이들에게 크리스마스 선물을 각각 세 가지씩만 사 주기로 합의했다. 크리스마스 양말은 세 가지에 포함시키지 않았다. 나는 전통에 따라 양말에 사탕, 칫솔을 넣어 줬다. 하누키 기념 초도 매일 밤 켰다. 그리고 마지막 여드레 날 밤에 우나와 대프니에게 작은 상을 주고 마무리를 했다.

물질적 선물은 줄었지만 즐거움은 반감되지 않았다. 놀랍게도 우나와 대프니는 예년보다 선물에 더 만족했고, 아쉬운 소리도 하지 않았다. 이렇게 될 줄 누가 알았겠나?

프랑스 가정이 다 쥘리에트네처럼 절제하며 살지는 않는다. 실제 쥘리에트네도 내가 아는 한 꽤 부유하다. 그래도 크리스마스를 맞은 미국이나 영국 가정처럼 '선물 공습'을 퍼붓는 경우는 거의 없다. 크리스마스에 프랑스인들은 선물만큼이나 음식에 신경을 쓴다. 어느 민족보다 먹는 데 많은 시간을 할애하는 사람들이니 당연하다. 크리스마스 날 저녁이 되기 전엔 선물을 교환하지 않는 가정도 많다. 역시 충분히 이해된다. 프랑스인은 수면 시간이 특히 길다. 나는 한여름에도 크리스마스 아침을 떠올리면 기분이 좋아진다. 따라서 선물 푸는 의식을 저녁으로 미룰 생각은 없다. 그냥 아이들의 노획물 양을 계속해서 조절해나갈 생각이다. 의지가 약해질 즈음 쥘리에트와 스타워즈 레고 세트를 떠올리면 도움이 된다.

지난해 내 조카의 크리스마스 선물 리스트에는 아흔두 가지 품목이 있었다. 크리스마스 날 깨어 있는 시간에 한 번씩 갖고 놀려면 하나당 10분이 할당된다. 그렇게 숨 가쁘게 놀아야만 할까? 아, 그리고 프랑스의 다문화 가정이 한쪽 문화를 따르기로 정하면 다른 쪽 문화는 무시한다는 말도 아니다. 그저 절제하는 모습이 본받을 만하다는 뜻이다. 우리는 아이들의 꿈은 무조건 이뤄줘야 한다는 생각에 너무 매몰돼 종종 길을 잃는다. 무지개 섬에 사는 유니콘의 입김을 담아다 달라고 해도 해줄 판이다. 나는 우리 아이들이 산처럼 쌓인 '노획물'이 아니라 명절의 전통과 가족의 사랑을 기억했으면 좋겠다. 그래서 올해는 예산을 조절해 남편에게 뭔가 근사한 선물을 해줄 생각이다.

프랑스 산타에겐 유능한 관리자 역할을 하는 조수 프레 푸타르 Pre Fouettard가 있다. 규율을 중시하는 캐릭터로, 크리스마스이브에 산타와 함께 날아다니며 선물 받을 자격이 없는 아이들을 짚어낸다. 좀 재수 없긴 하지만 미국에도 이런 캐릭터가 있으면 좋겠다.

크리스마스 전통에 수정을 가하는 김에 부활절 전통도 뜯어고치고 싶다. 우리 아이들에게 부활절은 이미 오래전부터 예수가 부활한 날이 아니라 크리스마스가 부활하는 날이 됐다. 지난해에도 거대한 부활절 바구니를 마련해서 선물을 담아 줬는데, 공간이 모자라 다 못 넣은 장난감과 사탕도 많았다. 프랑스 친구 마르크에게 부활절 전통에 대해 물었다. "아이들은 달걀과 맛있는 초콜릿을 받지. 바구니가 있긴 있는데 미국처럼 크진 않아. 사실 미국처럼 선물이 대용량인 나라는 없어. 아, 필리핀 사람들이 크리스마스 때 좀 그러더라."

알았어, 마르크, 거기까지. 프랑스 아이들은 선물을 날아다니는 종이 가져다준다고 믿는단다. 내가 보기에는 착한 아이 집 앞에 달걀을 놓고 가는 우리네 부활절 토끼와 별로 다를 바가 없다. 우리 집에서 종을 활용하기는 좀 어려울 것 같고, 그냥 부활절 토끼로 가야 할 것 같다. 내가 알아본 바에 의하면 프랑스 엄마 아빠들은 부활절 선물로 초콜릿 이상은 주지 않는다. 그 정도는 나도 할 수 있다.

다음은 밸런타인데이다. 기업의 장삿속이 미국과 영국 아이들을 더 무절제하게 만들고 있다. 밸런타인데이에 관한 한 강경하게, 절저히 프랑스 스타일로 밀어붙일 생각이다.

그렇다고 우나와 대프니를 동정할 필요는 없다. 여태까지 오래도록 지나친 풍요를 누리며 살았으니 말이다. 나는 '도시락 대전'을 겪으며 드디어 막다른 골목에 다다랐음을 깨달았다. 어느 날 대프니가 아끼는 헬로키티 도시락의 꽃 장식이 떨어졌다. 어차피 여자아이들은 매년 새 도시락을 몇 개씩 사들인다. 나는 대프니에게 여분의 도시락이 있으니 걱정 말라고 했다. 그중 핑크색 물방울무늬가 그려진 도시락은 우리 집 앵무새 마빈의 모이통으로 쓰고 있는 상태였다.

대프니에게 도시락 두 개를 내밀며 고르라고 했더니 아이는 내가 요강이라도 내민 듯 질색을 했다. "아니야, 아니야. 불공평해! 세 개가 있어야 해! 세 개!" '어릴 때 눈 덮인 언덕길을 몇 시간씩 걸어서 학교에 다닌' 고리타분한 노인네처럼 들릴 각오를 하고 말하자면, 나는 그 나이에 갈색 종이봉투에 점심을 넣어 다녔다. 이름 머릿글자를 새긴 고급 수제 가방이나 맞춤 제작된 조립식 도시락, 심지어 싸구려 보온병도 없었다.

다행히 지금 우리는 쓰레기를 줄이고 씀씀이를 억제해야 할 필요를 느끼는 수준까지 도달했다. 프랑스 부모들은 도시락 문제로 골치를 썩일 필요가 없다. 여러 가지 코스로 이루어진 급식이 나오니까. 대신 책가방을 관찰해보니 프랑스 아이들은 똑같은 가방을 굉장히 오래 썼다. 텔레비전이나 만화 속 등장인물이 요란하게 박힌 책가방도 찾아보기 어려웠다. 만약 대프니가 프랑스에서 태어났다면 지금 메고 다니는 인어공주 가방을 앞으로 4년은 더 써야 할 것이다.

그러던 중 맨해튼의 어퍼 이스트사이드에 사는 프랑스 친구 크리스티앙이 아이들에게 돈의 가치에 대해 가르치는 모습을 보고 한 번 더 놀랐다.

내가 놀러 갔던 날 마침 크리스티앙의 친정부모님도 리옹에서 도착하셨다. 크리스티앙은 친정어머니, 여덟 살 된 딸 마리와 함께 심각한 얼굴로 대화를 나누고 있었다. 마리는 '아메리칸걸'이라는 고가의 인형을 사달라고 끊임없이 조르는 중이었다. 엄마와 얘기를 하던 아이의 얼굴이 곧 굳어졌다. 인형을 집으로 데려올 가능성이 완전히 사라진 것 같았다. 그러나 속닥속닥 긴 대화가 한 차례 더 이어지고 나자 아이는 눈물을 닦고 엄마와 외할머니의 얼굴에 입을 맞췄다. 후에 나는 상세한 내용을 알아내기 위해 크리스티앙을 쥐어짰다. 대체 문제가 뭐였을까? "그 인형은 너무 비싸. 친정엄마는 모처럼 아이에게 사 주는 선물이니 비싸도 상관없다고 하셨는데, 120달러나 하는 인형을 그냥 턱 사 주면 아이가 돈의 가치를 어떻게 배우겠어? 너무 과해. 아이를 이해시키기는 좀 힘들지만 그래도 해야지. 너무 갖고 싶어 하는 마음은 알아. 그래도 돈의 가치를 알아야 해." 프랑스 엄마들에게 또 당한 기분이었다. 우나가 네 살 되던 해 그놈의 아메리칸걸 인형을 사달라고 했을 때 나는 슬쩍 아이 할아버지에게 떠넘겼는데…. 손녀 생일 선물로 대체 뭘 사야 할지 몰라 우왕좌왕하고 있던 할아버지는 기꺼이 지갑을 열었다. 참고로 여기서 할아버지란 우리 시아버지인데, 바지 한 벌로 몇 년째 버티고 계시고, 수도세 아낀다고 물을 받아놓고 씻으시는 분이다. 즉, 돈을 함부로 쓰시는 분이 아니다. 그러나 손녀가 사달라는 데 무너지지 않을 할아버지는 없다. 당시 나는 그 인형이 아이에게 적합하지 않다거나 이를 아이의 교육 기회로 삼아야겠다는 생각은 하지도 못했다. 결국 그 값비싼 인형은 우나의 손에 들어왔다.

프랑스 부모들은 아이에게 돈의 소중함을 가르치되, 반드시 사적인 자리에서만 교육한다. 공공장소에서 돈에 관해 언급하는 행위는 교양이 없다고 여긴다. 크리스티앙과 얘기를 나누고 나니 나는 무능하기 짝이 없는 엄마 같았다. 두세 달 뒤 더 이상 내려갈 데도 없을 줄 알았던 나의 무능 지표가 마이너스를 찍는 사태가 발생했다. 대프니가 줄리라는 아메리칸걸 인형을 친구 집에 들고 갔다가 얼굴에 화장을 떡칠을 하고 머리를 잘라버렸던 것이다. 그때는 정말 내가 아이를 다 망쳐놓았다는 생각밖에 안 들었다.

그날 이후 크리스티앙의 교육법이 내 뇌리에 깊이 박혔다. 이제 아이들이 돈을 달라고 할 때마다 부엌에 놓아둔 유리병에서 동전을 꺼내 주는 짓은 하지 않는다. 아이들은 보통 '슈퍼마켓 놀이'나 '도서관 놀이'를 하다가 인형들에게 벌금을 내게 만든다며 돈을 받아가곤 했다. 하지만 대프니는 10센트가 대체 얼마나 큰 금액인지도 모른다. 동전을 가지고 논 다음 반납한 적도 없다. 이제는 돈에 수반되는 책임감에 대해 아이들과 이야기를 나눈다. 당연히 그래야 하고 중요한 문제인데도 불구하고 '어떤 대가를 치르더라도 아이를 만족스럽게 해줘야 한다'는 미국의 사회 분위기 속에 종종 간과되고 있다. 크리스티앙이라고 딸아이의 간청을 들어주고 싶지 않았겠는가? 그러나 의식 있는 성인으로 키워내기 위해 결단을 내린 것이다.

결국 아메리칸걸 인형을 몇 개씩이나 가지고 있는 마리의 반 친구가 엄마의 허락을 얻어 맨 처음 샀던 인형을 줬다고 한다. 그 엄마는 딸 친구가 너무 가지고 싶어 한다니까, 또 그 인형이 있어야 자기 딸과 인형 놀이를 할 수 있을 테니까 기꺼이 허락했다고 했다.

우나는 세 살이 되던 해에 처음 용돈을 달라고 했다. 어디서 용돈이란 말을 배웠는지도 모르겠다. 그냥 용돈을 받으면 사고 싶은 물건을 맘대로 살 수 있다는 생각을 한 듯했다. 어린이집 친구들에게 들었는지, 텔레비전 만화를 보고 따라 했는지…. 물론 프랑스화 프로젝트가 시작되기 훨씬 전이라 우리 부부는 그저 아이의 요구가 조숙하면서도 귀엽다고 생각했다. 아직 혀짤배기소리를 낼 때라 더 귀엽기도 했다. 그래서 우리는 문제의 그 부엌 유리병에서 금요일마다 15센트를 꺼내 줬고, 아이는 성실히 헬로키티 저금통에 저금을 했다. 우나와 대프니가 나이를 먹으면서 요구하는 금액도 올라가고 있다. 지금은 돈이 더 필요하면 그만큼 노력을 쏟아야 한다고 일깨워 준다. 우나는 다섯 살이 되더니 주당 15센트로는 아무것도 못 산다는 사실을 깨달았고 최근에는 주당 5달러를 달라고 했다. 대체 뭘 했다고! 그때만큼은 내가 제정신이었는지 안 된다고 못을 박았다.

안타깝게도 우리 딸들은 모두 집안일에 별 흥미가 없다. 그러면서 매주 용돈은 당연하다는 듯 받아갔다. 아이들에게 이런 말을 해주고 싶다. "미안하지만, 얘들아, 프랑스에서는 상상도 할 수 없는 일이란다!" 프랑스 부모들은 어린아이들에게 거의 용돈을 주지 않는다. 돈의 가치를 알 만한 나이가 되기 전까지는 주지 않는다는 것이 그네들의 원칙이다. 어차피 아이들도 물건에 그렇게 집착하지 않으니 돈이 필요하다고 생각하지 않는다. 용돈을 받든 안 받든 집안일은 돕는다. 어느 날 아이들에게 임무를 맡기고 '건당' 현금을 지급한다는 프랑스 부모들을 만나 이야기를 나눠봤다. 매일 해야 하는 집안일 외에 다른 일을 도울 경우 돈을 준다고 했다. 플라스틱 음식물 저장용기를 말끔히 정리하면 0.5유로를 주는 식이다. 우리 부부도 긴급 대책위를 구성하여 거실 먼지 터는 데 25센트, 세탁물 분류에 15센트, 부엌과 식당, 거실 테이블을 모두 닦는 데 20센트를 지급한다고 정했다.

　모두에게 윈-윈이다. 처음에 우나는 엄청난 열성을 보였다. 아이팟 셔플은 꼭 사야겠는데 이제 우리는 호락호락 돈을 내주지 않으니까. 우리 가정의 은행 잔고도 생각해야 했기에 '현금 지급 심부름'은 일주일에 여섯 번만 할 수 있도록 상한선을 정했다. 일단 집은 예전보다 훨씬 말끔하게 유지되고 있다.

　씀씀이에 관한 한 아직도 고쳐야 할 점이 한두 가지가 아니다. 일단 딸 둘 모두 생일 파티 문화의 정점을 찍는 나이이다 보니 꽤 호사스런 파티를 열어준 적도, 그런 파티에 참석한 적도 여러 번이다. 우리 집 아이들은 날씨가 포근한 달에 태어나 종종 공원에서 파티를 열어줬다. 아이 생일이 2월인 부모들은 골치를 좀 썩는다. 뉴욕의 부모들은 아이 생일 파티 한 번 열어주는 데 최소 500달러는 쓴다. 어쩌겠나? 다 그렇게 한다는데. 날씨 탓이라고 보기도 어렵다. 사계절 포근한 로스앤젤레스에 사는 친구 하나는 얼마 전 바운시 캐슬^{성 모양}의 큰 풍선 집으로 아이들이 위에 올라가 뛰어놀 수 있다을 샀다고 고백했다. "열에 아홉, 아니지, 열에 열은 생일 파티에 바운시 캐슬이 꼭 있어. 해마다 임대하느니 차라리 사놓자고 생각했지." 우나와 대프니는 동네 공원에서 생일 파티를 열어주는 데도 한 번에 250달러는 들어간다. 서른 명분 피자와 음료수에, 따라오는 엄마 아빠들을 위한 간식, 생일 케이크, 피냐타^{장난감, 사탕 등이 잔뜩 든 통으로, 아이들이 눈을 가린 채 막대기로 쳐서 터}

뜨린다, 아이들에게 일일이 쥐어줘야 하는 풍선, 헤어질 때 나누어 줄 구디백사탕, 과자 등을 담은 선물 주머니까지. 구디백…. 제일 큰 골칫거리다. 파티에 온 아이들은 일단 "구디백 어딨어요? 뭐 들어 있어요?"라고 고래고래 고함을 치기 시작한다. 아무리 아이라도 별로 예뻐 보이지 않는다. 인정하고 싶지 않지만 우리 아이들도 한때 그랬다. 한 번 호되게 야단을 쳤더니, 그 뒤에는 더 이상 그러지 않는다. 구디백을 받고 나면 한둘은 꼭 징징거리며 떼쓴다. 자기가 원하던 색깔이 아니라는 둥, 초콜릿만 받고 싶은데 젤리가 들어 있다는 둥. 게다가 구디백에 채워 넣는 싸구려 플라스틱 장난감은 어차피 집에 가자마자 바로 내버리고 마니 낭비도 이런 낭비가 없다.

프랑스의 생일 파티는 사뭇 다르다. 프랑스에서 다섯 살배기 프랑스 아이의 생일 파티에 참석할 기회가 있었는데 니에게는 충격 그 자체였다. 꼬마 손님은 단 둘뿐. 생일을 맞은 아이가 가장 좋아한다는 오븐구이 치킨, 감자튀김, 초콜릿 케이크로 다 함께 식사를 한다. 음식은 모두 엄마 아빠가 직접 만든다. 참으로 단순하고 소박한데, 브루클린에서 경험했던 그 어떤 생일 파티보다 즐거웠다. 일단 브루클린의 생일 파티는 아이 몇몇이 울고 짜야 끝이 난다. 사람도, 장난감도, 당분도 넘쳐나니 아이들이 흥분할 수밖에 없다. 우나도 지난번에 친구 생일 파티에 갔다가 셔츠에 피를 묻혀 왔다. '얼음땡 놀이'를 하던 아이들이 거의 미쳐 날뛰었고, 그중 셋이 코피가 났던 것이다.

그렇다면 프랑스인들은 구디백 문제를 어떻게 해결하는가? 파리의 한 초등학교에서 교사로 일하며 딸 둘을 키우는 한 친구에 따르면 "생일 파티에서 그런 건 나눠 주지 않는다"고 한다. "단지 파티에 참석했다는 이유로 아이들에게 상을 줘서는 안 되지. 파티에 가면 재미나게 놀고, 케이크도 먹을 수 있는데. 그 자체가 상이야." 또…. 당했다는 느낌…! 프랑스인들도 아이가 태어나 처음 맞는 생일은 대대적으로 축하할 만하다고 생각하지만, 그 이후부터는 조촐하게 식구들끼리 치른다. 그러다 아이가 어느 정도 자라면 친구 두엇을 불러 파티를 열어준다.

우리 식구는 디톡스 차원에서 올 한 해 동안 생일 파티를 전면 끊어보기로 했다. 아직 우나와 대프니의 생일이 몇 달 남아 있는 상태라 막상 닥치면 어찌 될지 알 수 없지만 지금까지는 둘 다 꽤 잘 적응하고 있는 것 같다. 이 역시 내 프랑스화 프로젝트의 일환이라 아이들에게는 발언권이 없다. 이제부터 생일 파티는 2년에 한 번만 열어주기로 했다. 파티가 없는 해에는 '하루 동안 여왕 대접받기'가 기다리고 있으니 나쁘지 않은 조건이다. 아침 식사 메뉴를 마음대로 정할 수 있고(예전에도 생일마다 그렇게 했지만 기억을 못 하는 것 같다), 예산을 넘지 않는 한 맘껏 선물을 고를 수도 있고, 저녁 외식할 곳을 선택할 수도 있다. 홈메이드 오븐구이 치킨에 맛을 들여주기만 한다면야 매일 저녁이라도 만들어주겠지만 아직 그 정도로 프랑스화되지는 않았다. 생일 저녁 식사 장소는 당분간 패밀리 레스토랑이나 피자집이 될 듯하다. 앞으로는 생일이라 해도 선물을 산더미처럼 사 안기지 않을 것이라는 점도 분명히 했다. 역시 아직까지는 별반 섭섭해하지 않는다. 차라리 후련하다고 생각하고 있지 않을까? 일단 나는 그렇다.

특히 아이들 장난감에 관한 한 특단의 조치가 필요함을 절실히 느끼게 됐다. 아이들이 집 밖으로 나가기만 하면 나는 쓰레기봉투를 들고 아이들 방으로 달려가서 미친 듯이 장난감을 주워 담았다. 딱하다고 혀를 찰 사람도 있겠지만, 장난감을 버리며 느끼는 쾌감은 영화나 외식과 비교할 수도 없었다. 처음 한두 번은 고민이 컸다. '이 야광 거북이는 좀 아까운데.' '아이들이 언젠가 다시 찾지 않을까?' 하는 생각 때문에 장난감을 쓰레기봉투에 넣어서 몇 달간 창고에 보관도 해보았다. 무려 세 차례나 그렇게 했는데도 아이들은 장난감이 줄었다는 사실조차 깨닫지 못했다. 오히려 방이 더 깨끗하고 커졌다면서 좋아했다. 내 생각과는 달리 별 애착이 없었나 보다. 지금은 창고 보관 기간 없이 모으는 족족 중고 가게로 보낸다. 게다가 아이들은 남아 있는 장난감을 더 자주 가지고 놀게 됐다. 장난감더미에 묻혀 잘 안 보이던 물건이 한눈에 들어오니 그럴 수밖에 없을 것이다. 방이 터져나갈 지경이었을 때는 항상 장난감이 부족하다고 투덜냈는데 이제는 그런 불평이 쏙 들어갔다. 한 친구는 옷에도 그 원칙이 적용된다고 강조한다. 안 입는 옷을 늘 나에게 물려주는 친구인데, 필요 없는 옷이 옷장에 쌓여 있으면 입을 만한 옷이 눈에 띄지 않는다는 지론을 펼친다. 나 역시 받아도 잘 안 입게 되니 그만 받아야겠다. 언젠가는….

프랑스인들은 누구나 이 원칙이 머릿속에 깊이 각인되어 있는 것 같다. 최근 프랑스 영화를 몇 편 봤는데 영화에 나오는 아이들 방은 볼 때마다 놀라웠다. 장난감이 차고 넘치는 경우는 절대 없었다. 〈노에미 : 르 시크릿Noemie : Le secret〉이란 영화에 딱 한 번 그런 방이 나왔는데, 알고 보니 캐나다 영화였다. 〈ET〉부터 〈토이 스토리Toy Story〉에 이르기까지 미국 영화에 나오는 아이 방과 대조된다. 드라마는 현실을 반영한다고 했던가? 물론 프랑스 영화에도 잘 찾아보면 장난감에 점령당한 아이 방이 나오겠지만, 흔치는 않다.

일반적인 프랑스 가정에서는 더더욱 보기 힘들다. 어느 집을 가든 장난감이 '조심스럽게' 놓여 있다는 느낌을 받았다. 게다가 내가 방문했던 집들은 대부분 아이가 셋 이상이었다. 프랑스는 출산 장려 정책이 워낙 잘되어 있어서 아이가 셋, 심지어 넷인 경우도 드물지 않다. 그런데도 집 안 전체가 미국처럼 거대한 놀이방으로 탈바꿈하지 않는다. 어떤 여섯 살짜리 여자아이의 방을 보면서 감탄을 금치 못했던 기억이 난다. 아이의 영어는 내 프랑스어보다 서툴렀기 때문에 말은 몇 마디 오가지 않았다. 그저 아이가 몇 안 되는 자신의 물건을 너무나 소중히 다루는 모습이 인상적이었다. 인형은 두 개뿐이었다. 마지막으로 세어봤을 때 우리 애들 방에는 인형이 아홉 개 있었다. 집집마다 미친 듯이 사 모으는 '아메리칸걸'을 빼고도 말이다. 질투는 나지만 이를 기회로 삼을 수 있다. 프랑스 아이들은 훨씬 적은 장난감으로 재미나게, 창의적으로 노는데 우리 아이들이라고 못 하란 법 없다. 아이에 대한 지나친 관심과 선물을 좀 줄이면 아이의 상상력이 신장된다. 장난감 다이어트에서 성공을 맛봤으니 다음은 내 옷가지 다이어트에 돌입할까 한다.

생각 없이 쌓아놓고 살던 시절에는 안녕을 고했다. 쓸데없는 물건은 잡초 솎아내듯 과감히 솎아내야 한다. 프랑스 엄마들은 디자인과 품질이 뛰어난 필수 품목 몇 가지만 남겨서 두고두고 사용하라고 충고한다. 유행을 타지 않는 프랑스 스타일은 그렇게 탄생하나 보다.

이제 상에 대해 이야기할 차례다. 미국의 여느 집 아이들처럼 우리 딸들도 뭘 하든 상을 바라게 됐다. 머리를 잘라도, 엄마를 따라 주유소에 가도, 뭔가를 기대했다. 아이들에게 상을 주지 않고는 도저히 극복할 수 없는, 혹은 '쉽게' 극복할 수 없는 상황이 있기는 하다. 예를 들어 대프니는 병원이라면 경기를 일으킨다. 건강을 위해서 반드시 병원에 가야 한다는 점은 거의 이해를 시켰는데 그래도 내키지 않는 눈치다. 아니, 질색을 한다. 그래서 주사를 맞을 때마다 상을 주겠다고 약속했다. 아이가 거의 발작을 일으켜서 결국 진료 예약을 다시 잡은 적도 있을 만큼 매번 고역이다. 하지만 주사를 맞고 나면 드디어 끝났다는 안도감에 고함을 쳐서 녹이 다 쉰 아이에 대한 연민이 더해져 가까운 장난감 가게로 직행하곤 했다. 역시 '병원 공포증'이 있는 다섯 살배기 프랑스 아이 크리스티앙의 아비지에게 어떻게 대응하는지 물어봤다. "우리도 마찬가지야. 병원을 다녀오면 조그만 선물을 줘. 지난번에는 독감 주사를 맞히고 나서 문방구에 데려가 테이프를 사줬어." 테이프! 내가 왜 그 생각을 못했을까? 지금 한창 포스트잇에 심취해 있는 대프니도 문방구에 데려가면 훨씬 재미있어할 텐데. 어차피 장난감은 집에 수두룩하다. 포스트잇 한 뭉치가 커피 한 잔 값 정도 하려나? 됐다. 문제 해결!

무엇보다 요새는 우리 딸들이 너무 점잖아져서 뇌물이며 상으로 유혹할 필요가 없어졌다. 상을 제공하지 않으니 아이들도 아예 기대조차 안 하게 됐다. 가끔 울컥하는 기분에 생각지도 않은 선물을 사다 주면 정말 뛸 듯이 기뻐한다. 선물을 소나기처럼 뿌려대던 예전과는 차원이 다르다. 또 이제는 아이들과의 외식이 즐거워졌다. 테이블에 진득하게 앉아서 음식이 나오기를 기다렸다가 나이프와 포크로 격식을 갖춰서 식사를 하고 엄마 아빠가 일어나자고 할 때까지 재잘재잘 대화도 나눈다. 부모가 식사를 하는 동안 아이들이 방해하지 않고 조용히 만화영화를 보도록 테이블에 비디오 스크린을 설치한 레스토랑이 있다는 이야기를 듣고 어찌나 기가 막히던지…. 정말 개탄스럽다. 프랑스 아이들은 만화영화를 틀어주지 않아도 소리를 지르거나 테이블 밑으로 기어들어 가거나 포크를 내던지는 짓 따위는 하지 않고 풀코스 식사를 소화한다. 내가 아예 텔레비전을 안 보여주는 히피도 아니고, 우리 아이들도 디즈니 캐릭터 이름을 줄줄 꿰기는 하지만, 그래도 온 가족이 외식을 하러 나간 자리에서 아이들을 비디오에 의존하게 만들다니….

텔레비전에 별 관심이 없는 프랑스 아이들을 보고 느낀 바가 참 많다. 프랑스, 영국, 미국 아이들의 텔레비전 시청 시간을 여기서 정확히 숫자로 제시하기에는 무리가 있다. 날마다 수많은 연구가 진행되고 있고 결과가 계속 바뀌니까(좋은 쪽으로 바뀐다고는 못하겠다). 그러나 입을 헤 벌린 채 '바보상자'를 들여다보는 시간은 프랑스 아이들이 가장 적다고 할 수 있다. 성장기 아이의 뇌에 텔레비전이 얼마나 치명적인지에 대해서는 날마다 기사가 쏟아져 나온다. 2008년 프랑스 당국은 3세 미만 어린이를 대상으로 하는 텔레비전 프로그램 방영을 금지시켰다. 미국에서는 급성장을 거듭하는 분야다. 프랑스의 공중파 텔레비전 방송은 눈 뜨고 봐줄 수가 없는 수준이라 아이들도 크게 유혹을 느끼지 않는 것 같다. 여기에 더해 프랑스에서는 채널이 수백 개에 달하는 케이블을 깔기도 수월치 않다.

그런저런 환경적 차이가 존재하기는 하지만, 그래도 프랑스 꼬마들이 텔레비전의 도움 없이 스스로 재미있게 놀 줄 아는 이유는 그런 훈련을 할 수 있는 시간이 충분하기 때문이라고 본다. 프랑스 꼬마들은 학교에서 돌아와 비디오게임부터 집어 들지 않는다. 고학년 아이들은 어차피 숙제가 너무 많아서 그럴 수도 없다. 나는 텔레비전이 아이들을 진정시키는 효과가 있다고 믿으며 살았는데, 어느 날 한 모임에 갔다가 불안감이 엄습하기 시작했다. 국적도, 나이도 제각각 다른 세 가족이 한 집에 모여 점심을 먹는 중이었다. 아이들은 우나와 대프니, 어린 프랑스 꼬마 둘이 전부였다. 나는 어느 시점엔가 평화가 절실해지면 쓰려고 휴대용 DVD 플레이어를 들고 갔다.

대프니는 한 시간가량 프랑스 꼬마들과 잘 논다 싶더니 이내 내 가방 속을 흘끔거리며 DVD를 틀어달라고 조르기 시작했다. 다른 아이들도 가세하여, 곧 〈안젤리나 발레리나Angelina Ballerina〉라는 애니메이션 DVD가 돌아가게 됐다. 예상외로 아이들이 잘 어울려 놀고 있었던 터라 30분짜리 에피소드 하나만 보여주고 다시 가서 놀라고 했다. 그런데 놀던 맥이 끊겼는지, 이번에는 부쩍 서로 티격태격했다. 평소 같으면 피곤하거나 배가 고파서 그러려니 하겠지만, 점심도 잔뜩 먹었고 시간은 2시밖에 되지 않았었다. 그 순간 프랑스 엄마가 내 머리 위에 폭탄을 떨어뜨렸다. "텔레비전 때문이에요. 우리 애들은 텔레비전을 보고 나면 늘 싸우거든요. 텔레비전을 본 뒤 뇌가 제대로 작동하려면 시간이 좀 걸려요." 나도 아이들에게 텔레비전을 보면 머리가 나빠진다는 말을 녹음기처럼 되풀이했지만 실제 사례를 눈으로 확인한 적은 없었다. 이후 집에서 텔레비전 시청 시간을 대폭 줄이자 자매간 다툼이 현격히 줄었다.

텔레비전 시간을 줄이기 위해 이번에도 프랑스 가정을 참조로 했다. 집집마다 방법도 기준도 다 달랐다. 어떤 집은 아이들에게 '기승전결이 뚜렷한 내용만 보도록 허락하며 일반 만화영화나 시트콤은 보여주지 않는다'고 했다. 그러고 보니 오바마네, 즉 백악관에서도 비슷한 규칙을 적용한다고 한 것 같다. 꽤 괜찮은 방법이지만 나한테는 너무 야박하게 들렸다. 나도 아무 생각 없이 볼 수 있는 만화영화를 좋아하니 말이다. 그래서 그냥 텔레비전 및 컴퓨터, 아이패드 사용 시간을 주말로 한정하기로 했다. 이로써 삶이 얼마나 윤택해졌는지 모른다. 우나와 대프니는 주 중에는 아예 텔레비전을 봐도 되냐고 묻지 않는다. 이 규칙을 시행하기 전까지는 텔레비전 시청을 놓고 '밀당'을 하느라 진을 다 빼곤 했다. 아침에 텔레비전을 못 보게 하면 불평불만이 끝도 없이 이어졌다. 텔레비전을 켜놓은 채로 그 앞에서 아침을 먹이고 옷을 입히는 편이 훨씬 나았다. 그런데 요즘 우리 집 아침 풍경은 더없이 아름답다. 아이들은 식탁에 둘러앉아 식사를 한 뒤 느긋하게 옷을 입고 놀거나 전날 다 못한 숙제를 한다.

저녁에도 텔레비전을 보는 대신 가족이 모여 도란도란 식사를 한다. 대단히 프랑스적이지 않은가? 얼마 전에는 저녁을 먹다가 배꼽을 잡고 웃었다. 화요일 저녁이었는데 남편이 실수로 "식탁을 치우고 나면 진짜 웃기는 유튜브 동영상을 하나 보여줄게"라고 했다. 악역을 도맡는 내가 오늘은 평일이라 아이들에게 동영상 시청을 허락할 수 없다고 대꾸했다. 그 순간 아이들이 어찌나 실망하던지, 무거운 공기를 칼로 자를 수도 있을 것만 같았다. 이번만은 내가 양보하기로 마음을 바꿨다. "알았어. 아빠링 유튜브 봐도 되는데 오늘만이야. 오늘 한 번뿐이니까 다음엔 조르면 안 돼." 트램펄린을 타는 아기 고양이 동영상은 3분짜리였다. 그렇지만 그 3분짜리를 봐도 좋다는 허락이 떨어지자 우나와 대프니는 거의 15분에 걸쳐 서로 껴안고 웃고 덩실덩실 춤을 추고, 한마디로 난리도 아니었다. 3분짜리든 뭐든 그저 보여준다니 무작정 좋았던 것이다. 그 모습을 보며 나도 같이 킥킥거리다가 문득 '이렇게까지 좋아하는데 굳이 못 보게 하는 내가 너무 잔인한가?' 하는 생각이 들었다. 그런데 바로 거기에 해답이 있었다. 이전에는 '이렇게까지' 좋아한 적이 없었던 것이다. 지금은 텔레비전을 보는 시간이 특별해졌고, 그저 당연한 권리라고 생각하지 않는다.

주 중 텔레비전 시청 전면 금지가 가능하지 않은 집도 분명 있을 것이다. 요점은 프랑스 부모들을 본받아 절대 혹은 거의 절대 깨지지 않는 규칙을 만들어서 텔레비전의 지배력을 약화시켜야 한다는 것이다. 혹 케이블 텔레비전을 신청했다면 프랑스어 방송만 볼 수 있다고 정할 수도 있다. 분명 텔레비전에 대한 집착이 완화될 것이다. 그렇다면 방학 때는 어떡하냐고? 여름방학을 포함해서 학교가 쉬는 날은 깡그리 '주말'로 선포해버릴까 생각한 적도 있었다. 텔레비전이 학교 수업에 방해된다는 카드를 너무 많이 써버린 터라 수업도 없고 캠프도 없는 8월 말에는 궁지에 몰릴 염려가 있었기 때문이다. 예전에 프랑스 가족들과 인터뷰 약속을 잡다 지쳐 프랑스화 프로젝트가 과연 실현 가능할까 반신반의하던 때가 떠올랐다. 그때 프랑스 엄마 아빠들은 8월에는 전화나 인터넷이 안 되는 곳에 있을 예정이라 인터뷰가 어렵겠다고 답했다. 8월의 파리에는 관광객들밖에 남지 않는다. 파리 시민들은 수백 년도 더 된 고색창연한 농가로 피서를 간다. 나도 일반화는 좋아하지 않지만, 어쨌든 대부분이 어딘가로 떠난다.

전화나 인터넷이 없는 곳에 미니골프나 멀티플렉스, 비디오게임 아케이드, 그 외 휴일마다 아이들 때문에 억지로 드나들었던 '놀이 공간'이 있을 리 만무하다. 그런 곳에서 아이들과 종일 뭘 하며 시간을 보낼까? 알고 보니 별 하는 일이 없었다. 더 놀랍게도 프랑스 사람들은 별 하는 일 없는 휴가를 선호한다. 쌍둥이를 둔 프랑스 엄마 마르게리트에게 물으니 이렇게 대답했다. "아이들은 푹 쉬고 야외에서 놀고, 이런 걸 좋아해. 나를 도와서 정원도 가꾸고." 정말 예스러우면서, 무엇보다 건강한 휴가로 보였다. 나는 텔레비전, 컴퓨터게임, 패밀리 레스토랑의 도움 없이 아이들과 휴가를 보낼 엄두도 내지 못했는데…. 그렇지만 명색이 프랑스화 프로젝트를 진행하는 사람으로서 한 번 시도는 해봐야 하지 않겠나?

그래서 나만의 가짜 프랑스 시골을 만들기로 했다. 아이들을 대상으로 실험을 했다고 하면 사악하게 들릴지도 모르겠지만 결과는 더없이 만족스러웠다. 여러 가지 제약상 온 가족을 끌고 진짜 프랑스 시골로 가기란 불가능했기 때문에 집 근처에서 최대한 비슷한 체험을 할 수 있는 기회를 찾아봤다. 막상 찾아보니 생각보다 어렵지 않았다. 우리 집에서 가까운 롱아일랜드 남쪽 파이어 아일랜드라는 작은 섬에 딱 내가 바라던 만큼 한적한 마을이 있었다. 선착장까지 약 2시간 기차를 타고 가서 페리로 갈아탄 뒤 30분만 있으면 브루클린과 정반대의 풍광이 펼쳐진다. 폭이 3킬로미터밖에 안 되는 이 조그만 섬에는 앙증맞은 구멍가게 하나와 레스토랑 하나밖에 없다. 아이들에게 뭘 헤프게 사 주고 싶어도 그럴 수가 없는 곳이다.

그러나 막상 도착하기 전까지는 나도 섬의 실상을 잘 알지 못했다. 일단 차 반입이 금지되어 있어서 중도 포기하고 도망치거나 트렁크에 숨겨둔 비상 장난감을 활용할 수 있는 가능성이 차단되었다. 개헤엄을 쳐서라도 살아남거나 가라앉아 익사하거나 둘 중 하나였다. 우나와 대프니에게는 뭐든 가져가도 좋다고 허락했다. 단, 배낭에 다 들어가야 하며, 자기 배낭은 자기가 끝까지 책임져야 한다고 했다. 전에 내가 아이들 물건을 대신 들어주는 모습을 보고 루시가 "넌 엄마니, 나귀니?"라고 말한 기억이 났다. 아이패드며 게임기, DVD

따위를 우리 트렁크에 슬쩍 넣어줄 수도 있었지만 이번에는 전면전을 선언했기 때문에 영상기기는 모두 놓고 갔다. 솔직히 말하자면, 도착하기 전까지 너무 불안 초조했다. 《초원의 집Little House in the Big Woods》이나 《알프스 소녀 하이디Heidi》에서 읽었던 내용을 필사적으로 떠올리며 마음의 준비를 했다. 그러다 멋진 해변을 내려다보는 비치 하우스에 머물면서 조개와 가재, 게를 잔뜩 먹을 수 있는 곳에 가는데 과연 아이들이 잘 적응할까 걱정하는 내 자신이 한심한 얼치기 도시녀란 생각이 들었다.

물론 단점도 있었다. 파이어 아일랜드의 음식값은 뉴욕과 막상막하다. 우리는 일단 다 낡은 침실 6개짜리 집을 통째로 빌린 뒤 노하우가 풍부한 친구들을 돌아가며 초대했다. 먼저 4년 전 미국으로 이주한 보르도 출신 패션 업체 간부인 폴이 와줬다. 여러모로 실험을 진행하기에 이상적인 환경이었다. 남편이나 나나 피부는 허여멀겋지만 바다를 워낙 좋아해서 아이들을 데리고 해변으로 휴가를 간 적은 많았다. 그러나 숙소는 주로 수영장까지 갖춘 시내 호텔이었다. 주변은 각종 놀이기구, 게임장, 인스턴트식품을 파는 가게의 네온사인 등으로 불야성을 이루곤 했다. 당연히 바다는 아이들의 관심 밖이었다. 그저 토끼만 한 크기의 솜사탕을 사 먹고 번쩍거리는 회전차를 타러 가는 곳에 불과했다. 부모가 애원을 하니 마지못해 한 시간쯤 바다에 몸을 담그는 척하다가 호텔 수영장으로 돌아가거나, 아이스크림을 사달라고 조르곤 했다. 특히 우나는 바닷가가 너무 '모래투성이'라며 투덜댔다.

그러니 달랑 트렁크 하나 끌고 파이어 아일랜드에 입성한 내가 식은땀을 흘린 것도 무리는 아니다. 장난감도, 전자기기도 없이 모래 밭만 펼쳐진 곳에서 보내는 열흘은 대재앙일 수도 있었다.

신기하게도 재앙은 없었다. 오히려 아이들과 함께 떠난 가족 여행 중 가장 즐거운 여행이었다. 나는 현대 문명을 거부하고 자연으로 돌아가자고 주장하는 사람은 절대 아니다. 혼자 내버려 두면 굶어 죽기 딱 좋은 사람으로 둘째 간다(첫째가는 사람은 남편이다). 한데 그 짧은 휴가 기간 동안 다른 선택의 여지를 주지 않으니 아이들은 그냥 느긋하게 쉬는 기술을 체득했다. 정말 유용한 기술이다. 아예 이 책의 제목을 《어쩌다 프랑스 아이들은 느긋하게 쉴 줄 알게 됐는가 : 느긋하게 쉬는 기술이 부모에게 미치는 영향》 정도로 바꿔도 좋겠다. 24시간 툴툴거리기만 하던 아이가 '징징이의 숲'에서 빠져나오는 순간을 목도하는 그 기분이란! 파이어 아일랜드에서 내가 그동안 우리 딸들을 '징징이의 숲'에 가둬둔 장본인이 아닌가 하는 반성을 하게 됐다. 휴가 때마다 아이들에게 즐거움을 안겨줘야 한다는 강박관념에 사로잡혀 새로운 즐거움을 찾을 기회를 아예 차단하고 있었나 보다. 말이 나왔으니 말이지만, 자이로드롭이 주는 즐거움에는 한계가 있다. 올라갔다가 떨어지면 그뿐이다. 게다가 그 번잡하고 시끌벅적한 분위기에 휩쓸려 아이들은 점점 통제 불능이 되어간다. 어느 순간 우리 부부는 아이들의 즐거움과 어른들의 즐거움을 철저히 분리하며, 아이들의 즐거움을 위해 우리의 즐거움을 포기한다고 생각하기 시작했다. 하지만 어른도 사람이다. 그래서 어른들의 즐거움을 찾겠다며 호텔 베이비시터 서비스를 신청하고, 낯선 이에게 아이를 맡긴다는 죄책감에 사로잡힌 채 호텔 방을 '탈출해서' 돈은 돈대로 쓰고 찜찜한 마음으로 돌아오곤 했다. 프랑스 아이들이 아무 무리 없이, 어리광 따위는 부리지 않고, 어른들과 자연스럽게 섞이는 모습을 보면서 나도 새롭게 결심을 다졌다.

일단 챙겨오지 않은 DVD나 비디오게임이 조른다고 나올 리 없으니 아이들도 조를 생각을 안 했다. 손바닥만 한 섬에는 DVD를 팔거나 빌려주는 곳도 없다. 완벽하다. 아이들은 자연스럽게 둘이 어울려 놀거나 어른들과 시간을 보냈다. 하늘이 도왔는지, 그때 초대했던 친구들 모두 아이가 없었다. 아이를 키워본 적이 없는지라 버릇없는 행동이나 응석을 받아줄 생각이 전혀 없는 친구들이었던 것이다. 한창 프랑스화 프로젝트에 열을 올리고 있는 엄마 아빠에, 오로지 금쪽같은 휴가를 즐기는 데만 집중하는 아줌마 아저씨 들까지, 우나와 대프니에게는 아군이 단 한 명도 없었다.

혹시 애들이 떼를 쓰고 징징거려 분위기를 망치지 않을까 하는 내 우려는 바로 불식됐다. 곧장 바닷가로 뛰어가 모래 가재 만드는 데 전념했던 것이다. 열흘 내내 모래성을 쌓고, 해변을 산책하고, 책을 읽고, 보드게임을 하고, 베이킹을 하느라 시간이 어떻게 갔는지도 모르겠다. 그렇다, 베이킹! 폴은 베이킹을 이용해 자매의 프랑스화 교육에 일조해줬다. 특히 아이들이 할 일이 없다고 투덜대면 사정없이 이렇게 몰아붙였다. "뭐? 할 일이 없어? 그럼 할 일을 만들어야지. 너희가 좋아하는 디저트는 그렇게 앉아 있는다고 저절로 만들어지지 않아. 불평 그만하고 이리 와서 앞치마 걸쳐." 그리하여 우리 아이들 손에서 초콜릿 무스 케이크, 복숭아 타르트, 그리고 프랑스 디저트의 진수인 크렘 브륄레가 탄생하는 기적이 일어났다. 우나와 대프니는 폴에게 디저트에 관해 한 수 가르치려다 오히려 한 방 먹기도 했다. 스모어초콜릿, 통밀 크래커, 마시멜로를 뒤섞은 국적 불명의 음식를 자랑스럽게 내놓자 폴이 단 한마디로 두 자매가 세상에서 제일 좋아하는 디저트 두 개를 동시에 작살내는 쾌거를 이룩한 것이다. "흠, 그 라이스크리스피인지 뭔지보다는 좀 낫네."

파이어 아일랜드 휴가를 되짚다 보니 전형적인 브루클린 엄마 베스와의 대화가 떠오른다. 베스는 이번에도 휴가를 시댁에서 보내게 됐다며 불평을 늘어놓았다. "이제는 시댁에 가도 아이들이 주변을 뛰어다니거나 법석을 떨지 않아서 어른들끼리 마주 보고 있으려니 너무 어색해. 물론 아이들은 있는데 다 방에 콕 박혀서 컴퓨터게임을 하느라 코빼기도 안 보여. 내내 부엌에 쭈뼛쭈뼛 서 있으려니 고역이야." 베스도 안됐지만 무엇보다 아이들이 안타까웠다. 1년 만에 사촌들을 만났는데 컴퓨터에만 매달려 있다니….

지난 7년간 아이 둘을 키우며 소중한 기억이 많이 쌓였고 그중 상당 부분이 가족 여행과 연관되어 있기는 하지만 파이어 아일랜드에서 보낸 열흘은 그 무엇과도 비교할 수가 없다. 아이들이 태어난 이래 처음으로 생활의 초점이 아이들뿐만 아니라 온 가족에게 맞춰졌다. 우나와 대프니는 늘 관심을 받기만 하다가 마침내 어른들의 세계에 스스로를 맞추는 법을 배웠다. 이것이 프랑스식 육아의 핵심이다. 스포트라이트를 독차지하겠다고 그악스럽게 굴어봤자 그 자리에 있는 어른 중 누구도 귀엽게 봐주지 않을 것임을 깨닫더니 아이들은 변했다.

인내심과 도전 정신을 발휘하니 아이들은 더 이상 자신들의 비위 맞추기에 급급하지 않은 새로운 엄마 아빠의 면모를 기꺼이 받아들였다. 그리고 우리를 바라보는 눈에 경외가 담겨 있음을 발견했다. 뿌듯함이 차올랐다. 먼 훗날 아이들이 나를 그냥 엄마가 아니라 존경할 수 있는 한 인간으로 기억해주기를 늘 바랐는데….

파이어 아일랜드에 도착한 다음 날 저녁, 우나와 대프니가 늦게까지 남아서 어른들과 함께 저녁을 먹어도 되겠냐고 물었을 때 뭔가 좋은 조짐이 느껴졌다. 어른들 저녁 식사는 9시로 예정되어 있었기 때문에 고민은 됐지만, 결국 얌전히 군다는 조건으로 허락해줬다. 아빠와 엄마는 친구들과 이야기를 나눠야 하기 때문에 신경 써줄 수 없고, 원래 어른들의 식사 자리인 만큼 아이들은 주인공이 아니라 손님이라는 점을 분명히 해두었다. 대프니는…. 예의 그 성질머리가 있는 데다 네 살밖에 되지 않았으니 특히 문제를 일으킬 소지가 컸다. 그러나 저녁 식사는 더없이 훌륭하게 마무리됐다.

아이들은 시종일관 차분하고 예의 바르게 행동했다. 피곤하다거나 접시 위 음식이 마음에 안 든다는 불평 따위를 입 밖에 냈다가는 다시는 이런 기회가 주어지지 않을 것이라는 사실을 본능적으로 아는 듯했다. 자매는 한 시간가량 어른들과 함께 식탁에 앉아 있더니 어른들이 춤을 추기 시작하자 테라스 소파에서 파티를 지켜보다 스르르 잠들었다. 숲 속의 미녀보다 더 예쁘게 잠든 두 딸을 하나씩 안고 방으로 옮기며 남편과 나는 자랑스러움에 가슴이 터질 듯했다.

파이어 아일랜드 여행에서 우리는 쓸데없는 부분을 과감히 쳐내고 아이들이 제 몫을 다해주리라 믿어보는 도박을 감행했다. 도박은 대박이 되어 돌아왔다. 나는 이 가짜 프랑스 시골 여행을 주저 없이 최고의 가족 여행으로 꼽는다. 여행을 다녀와서 친구이자 아이 둘을 둔 프랑스 아빠인 이반에게 전화해 승전보를 전했더니 당장 다음 휴가 계획을 잡자고 했다. "너희 가족도 이제 본격적으로 즐길 준비가 된 것 같다. 다음번에는 우리 식구랑 같이 프랑스 남부로 가자. 우린 보통 아침에 일어나면 요리를 해서 밥 먹고, 와인을 마시고, 산책을 가거나 와인을 좀 더 마시고, 또 요리를 해서 밥을 먹고, 책을 읽든지 그러다가 또 와인을 마시고, 그렇게 지내다 오거든. 그러는 동안 아이들은 여기저기 뛰어다니고 알아서 놀아. 정말 재미있을 거야." 나도 그렇게 생각해! 프랑스인들은 적으면 적을수록, 단순하면 단순할수록 좋다는 가치관을 실천하며 사는 것 같다. 단, 와인은 예외다.

● **지금 당장 끊어야 할 다섯 가지**

1. 생일 파티용 구디백.

2. 착한 일을 했을 때 주는 상, 간식, 텔레비전 시청 시간, 크리스마스 등 명절 선물은 50%만 끊기.

3. 거실에 널브러진 장난감.

4. 아이의 용돈.

5. 정신적 탯줄!

● **경고등이 켜졌는지 확인하라**

프랑스화 프로젝트를 시작한 이후 우나와 대프니에게 나타났던 증상 때문에 스스로를 진정시키며, 여기는 프랑스가 아니라 미국이라는 사실을 상기해야 했던 순간이 몇 번 있었다. 다음 증상이 나타나면 교육 강도를 조금 낮출 필요가 있다.

· 네 살배기 딸이 파리에서 길을 잃고 괴물에게 쫓기는 악몽에 시달린다. 알고 보니 괴물은 엄마였단다.

· 아이가 놀다 말고 친구들에게 "프랑스에서는 상상조차 할 수 없는 일이야!"라며 혼내는 버릇이 생긴다.

· 프랑스화되지 않은 아이 친구들이 집에 놀러 오면 거슬려서 참기 힘들어진다.

· 다음과 같은 대화가 너무 자주 반복된다.

"엄마, 실리아네서 그만 놀고 집에 가자고 했을 때 나 불평하지 않고 나왔잖아. 잘했지?"

"그냥저냥 보통이었어. 불평을 하지 않는 정도는 보통이야. 불평을 했으면 형편없다고 했을 거야."

"형편없다는 게 뭐야?"

"잘하지 못했다는 뜻이야."

"근데 나 불평 안 했잖아. 그러면 잘하지 않았어? 불평은 프랑스 스타일이 아니니까. 나는 프랑스 스타일대로 했잖아."

"엄마는 네가 별다른 말썽을 피우지 않고 나왔다고 해서 칭찬해주지는 않을 거야. 원래 그래야 하니까. 말썽을 안 부려야 당연한데, 당연한 행동을 칭찬해줄 수는 없어."

"아니야, 나는 잘했어! 엄마는 나를 자랑스러워해야 해!"

Chapter 7

자라면서 익히는
삶의 품격

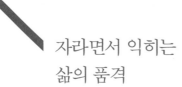

자라면서 익히는
삶의 품격

얼마 전 남편이 거실 탁자 위에서 춤추는 대프니를 촬영해서 보여주었다. 일단 아이가 올라가면 안 되는 곳에 올라가 있다는 생각부터 들면서, 내 뇌에 새롭게 장착된 '프랑스화 계측기' 사이렌이 돌아가기 시작했다. 하지만 나와 얼추 비슷한 대프니의 춤 동작을 보노라니 사이렌도 잦아들었다. 나는 춤을 꽤 좋아한다. 당장 비디오를 끄고 분별과 처신에 대해 딸아이와 깊은 대화를 나누려다가 자부심과 기쁨에 압도당하고 말았다. 아무리 생각해도 우리 딸은 춤을 너무 잘 춘다. 심지어 우리 집 대형 나무 탁자가 사실 무대로는 안성맞춤이다.

대프니가 춤 실력을 타고났다기보다 집에서 저녁 파티를 열면 어른들끼리 종종 춤을 추기도 했는데 그때 나를 보면서 익힌 것 같다. 나는 내 춤이 영화 〈조찬 클럽The Breakfast Club〉의 발랄한 여주인공 몰리 링월드 같다고 굳게 믿고 있다. 거기에 나만의 동작을 몇 가지 가미하기도 했다. 어쨌건 다섯 살이나 먹은 아이가 탁자 위에서 방방 뛰는 행위는 변명의 여지가 없다. 결국 나는 언제든 춤을 출 수는 있지만 내 사전 승인 없이 누구도 탁자에 올라갈 수 없다고 못을 박았다.

대프니가 나를 그대로 따라 하는 모양새를 직접 확인하고 나니 내가 아이들에게 알게 모르게 얼마나 큰 영향을 미치는지 절실히 깨달을 수 있었다. 그렇다면 그 영향력을 활용해서 아이들을 변화시킬 수도 있지 않을까? 단순 훈육을 뛰어넘어 좀 더 심오한 프랑스 스타일을 아이들에게 주입할 수 있지 않을까? 생각만 해도 짜릿했다.

이 프로젝트를 시작하기 전, 나는 프랑스 부모들을 여럿 만나 '아이들에게 심어주고자 노력하는 자질이 따로 있는지'에 대해 알아봤다. 그때 만난 프랑스인들은 내 질문의 의도를 대번에 알아들었다. 아홉 명 가운데 세 명이 다음과 같은 충고를 해주었다. "애들을 제대로 다듬고 빚어낼 시간이 그리 많지 않아요. 여덟 살이나 아홉 살만 돼도 엄마 말을 귓등으로 들으니까요. 주어진 시간을 최대한 활용하세요."

안 그래도 우나의 경우 아기였을 때부터 시간이 유달리 빨리 흘렀다. 나는 재차 자식들에게 꼭 키워주려 노력하는 자질이나 특성은 구체적으로 무엇이 있는지 물었다. 그랬더니 주로 음식을 음미할 줄 아는 능력, 훌륭한 시민 의식과 예의범절, 뛰어난 대화 기술, 스타일 감각, 삶의 환희를 누릴 줄 아는 능력, 소소한 것에서 아름다움을 찾아낼 줄 아는 능력, 성실한 학습 태도 등이 거론됐다. 처음 두 가지는 나름 해결의 기미가 보이니 다행이고, 나머지는 지금부터라도 시작하면 된다.

프랑스인들은 종종 미국인은 따분하며 영국인은 무례하다고 빈정댄다. 한편 영미권에서는 프랑스인을 자의식에 찌든 속물이라고 비방한다. 우리는 따분하거나 무례하지 않다. 우리도 꽤 재미있는 사람들이지만 효과적으로 포장하지 못할 뿐이고, 프랑스인들은 그저 지나칠 정도로 훈련을 잘 받았을 뿐이다. 프랑스 어린이들은 교실에서는 정숙해야 한다고 교육받지만, 교실 밖에서는 '뛰어난' 대화 기술을 터득할 수 있도록 부모로부터 강도 높은 훈련을 받는다. 프랑스인들이 과묵하다는 평가가 일반적인데 실제로 겪어보면 말수가 상당히 많다. 그들은 대화도 기술이라 생각한다.

내가 아는 프랑스 부모들 가운데 아이들의 재미없는 얘기를 묵묵히 참고 듣는 사람은 거의 없다. 그래서 나도 따분하다는 탄식이 절로 나오는 우리 딸들의 말솜씨에 대해 분석해보게 됐다. 물론 우나와 대프니는 내게 있어 둘도 없이 사랑스러운 아이들이다. 그래서 이미 백만 번쯤 들었던 유튜브 동영상 줄거리나 텔레비전 만화영화 줄거리를 되풀이해도 기꺼이 재미있는 척해줄 수 있다. 그 조그만 입을 오물거리면서 손으로는 열심히 제스처를 취하는 모습을 지켜보노라면 그저 즐겁기만 하다. 하지만 생모가 아닌 다음에야 그런 희생정신을 발휘하기는 힘들다. 미국에서는 어른들끼리 둘러앉은 테이블에 어린애가 갑자기 끼어들어 좀 전에 이어지던 대화와 상관이 있건 없건 제멋대로 말을 뱉기 시작하면 어른들이 일제히 대화를 중단한다. 가족 식사 자리에서는 최연소 구성원이 대화를 계속 가로챈다. 아이가 어른을 들었다 놨다 하는 것이다. 당하고 있으면 짜증이 솟구친다. 프랑스에서는 아이들에게 '절대 해서는 안 된다'고 가르치는 그런 짓이다.

프랑스인들에게는 품격 있는 사회 구성원 길러내기가 지상 과제이기 때문에, 담론의 기술 훈련 역시 매우 중요하게 생각한다. 제1과제, 뭔가 재미있는 얘깃거리가 생각나지 않는다면, 그리고 이미 진행 중인 대화와 관련해서 딱히 할 말이 없다면, 그 입 다물라!

물론 프랑스 부모들도 이제 막 말을 배우는 세 살짜리에게 얘기를 가려서 하라고 나무라지는 않는다. 그러나 대여섯 살만 돼도 대화의 수준을 높이든지 아니면 입을 다물라는 훈육이 시작된다. 할 얘기가 없는데 단순히 주목을 끌기 위해 아무 말이나 내뱉는 버릇이 우리 딸들에게도 생겼다는 것을 깨닫게 되었다. 아이들을 위해 변명하자면, 부모가 그러지 말라고 가르친 적이 없어서 그렇다. 프랑스화 프로젝트 도입 전까지, 아이들은 입만 떼면 아무런 이유도 없이 환호를 받았다. 나는 우나와 대프니가 말을 할 때 이러쿵저러쿵 지적을 하면 안 된다고 생각했다. 아이들의 인격을 모독하는 행위처럼 보였기 때문이다. 그런데 그런 생각을 하면 할수록 인내심은 바닥을 드러내고 있었다. 특히 어른들끼리 한창 재미나게 수다를 떨고 있는데 아이들이 시답잖은 얘기로 방해를 하면 참을 수가 없었다. 그럴 때 프랑스 엄마들은 가차 없이 "엄마는 그 얘기 너무 지루해"라든지 "그 얘긴 아까 했어"라고 쏘아붙인다. 프랑스 아이들은 어릴 때부터 단련이 되어 있어 비판을 수용할 줄 안다. 그 정도 쏘아붙였다고 의기소침해지지 않는다. 하지만 예민하기 그지없는 우리 집 딸들에게 그런 말을 했다가는 트라우마가 생겨 정신과 치료가 몇 년씩 이어질지도 모른다.

이 문제 역시 프랑스 스타일을 반만 적용하기로 했다. 자상하고 용기를 북돋는 미국 엄마 말투로, 대화에 끼어들기 전 상대방의 귀를 어떻게 사로잡을 것인지 미리 생각해봐야 한다고 강조했다. 이제는 당최 말도 안 되는 이야기를 시작하면 그냥 내버려 두지 않지만 그렇다고 기를 죽이지도 않는다. 그저 "다른 얘기를 해보라"고 유도한다. 무엇보다 더 이상 허투루 칭찬해주지 않게 됐다. 내가 가장 신경 쓰는 부분은 아이들이 이야기를 전달하는 방식, 특히 말의 길이다. 말이 거슬릴 정도로 질질 늘어지면 지적해준다. "넌 지금 청중과 멀어지고 있어"가 무슨 뜻인지 대프니에게 설명하다가 현기증이 날 뻔하기는 했지만, 지금은 알아듣는다. 두 딸 모두 머릿속 생각을 먼저 정리한 뒤 입 밖에 내는 습관을 키우는 중이다. 아이들에게 상처를 주지 않고도 저녁 식탁에서 오가는 대화가 분명 들을 만해지고 있다. 훗날 아이들이 자라서 학교 친구들과 점심을 먹으며 대화를 나눌 때도 엄마의 "말 다듬기 수업"이 큰 도움이 될 것이라 믿어 의심치 않는다.

이야기 전달만큼 중요한 대화의 기술은 듣기다. 제2과제, 남의 이야기를 듣는 능력을 키우라! 이건 특히 대프니에게 쉽지 않았다. 상대방이 얘기하는 동안 자기 차례가 될 때까지 안절부절못하고 번

갈아 짝다리를 짚는 모습은 영화 〈스타워즈Star Wars〉에 나오는 작달막한 로봇 알투디투를 연상시킨다. 그때마다 너무 귀여워서 웃음이 터져 나오는데 억지로 참으려니 나도 고역이다. 대프니가 끼어들고 싶은 욕구를 억누르느라 급급하기보다 진실로 상대방의 얘기에 귀를 기울일 수 있게 될 때까지 노력은 계속될 것이다.

앞일을 누가 알겠는가. 우리 아이들이 자라서 프랑스에 갔다가 파티에 참석하게 될 수도 있다. 프랑스인들은 오렌지 제스트채 썰어 설탕에 졸인 오렌지 껍질부터 정치에 이르기까지 오만 가지 주제를 놓고 불꽃 튀는 논쟁을 벌인다. 그들에게 논쟁은 스포츠와 같아서, 전혀 악의나 뒤끝은 없다. 생애 최초로 프랑스인들의 파티에 참석했다가 논쟁의 현장을 목격했던 때가 기억난다. 프랑스 남자 둘이 기자 지구 사태에 대해 치열하게 공방을 펼치는 모습을 보고 나는 슬금슬금 뒷걸음질 쳤다. 금방이라도 뒤엉켜 치고받을 기세였기 때문이다. 그런데 다음 순간 아무렇지도 않게 마르세유 축구팀 얘기로 옮겨 가더니 곧이어 건배까지 했다. 서로 기분이 상하기는커녕 즐거워서 못 견디겠다는 눈치였다. 프랑스 사람들은 논쟁을 벌이다 핏대 정도는 세워줘야 피티다운 파티를 즐겼다고 생각한난다. 나는 누군가가 대놓고 내 의견을 반박하면 피가 거꾸로 솟는 것 같은데, 프랑스 사람들의 소통 방식을 경험하고 나니 시야가 넓어지는 느낌이었다.

대프니에게 반대 의견을 내놓으면 인생이 피곤해진다. 대프니는 상대방이 자신의 뜻에 동의해주지 않으면 즉각 가시를 빳빳이 세운다. 그래서 특히 이 가시를 누그러뜨리는 데 집중하고 있다. 프랑스인들은 자기주장이 매우 강하지만 그렇다고 과민하지는 않은 것 같다. 바로 그 점이 좋다. 비판이나 반대에 부딪히면 양은 냄비처럼 달아오르는 우나와 대프니에게 프랑스 스타일은 필수적이다. 여기까지가 '제3과제, 대화를 즐기라!'였다.

제4과제는 '스타일 감각 키우기'다. 내 취재원 중 스타일을 우선순위에 올려놓은 사람들은 공교롭게도 모두 미국과 어떤 식으로든 연관이 있었다. 둘은 배우자가 미국인이라 미국을 자주 방문한다고 했고, 하나는(지나라고 해 두자) 프랑스 남자와 결혼한 미국 여성이었다. 그러다 보니 두 나라 사람들의 스타일과 차림새가 얼마나 차이가 나는지 비교할 기회가 많았을 것이다. 지나는 프랑스로 처음 이주했을 때 적응이 쉽지 않았다고 말했다. "집 앞 놀이터에 갈 때도 차려입어야 했어요. 트레이닝복 시절은 안녕이었죠. 처음에는 너무 싫었는데, 지금은 오히려 좋아요. 남 보기에 예쁘면 나도 좋잖아요. 미국 친정에 가면 파자마 바람으로 동네를 활보하는 사람들도 있는데 이젠 딱해 보이더라고요."

미국의 유명 코미디언 제리 사인펠드Jerry Seinfeld가 자신의 코미디 프로그램에서 외출할 때도 트레이닝복을 입는 친구 조지를 가리켜 "삶을 포기했다"고 지적한 데는 다 이유가 있었다. 나로 말하자면, 아직 포기할 생각이 전혀 없다.

프랑스에서 나고 자란 사람들은 옷차림에 세심하게 신경 쓰는 사회 관습이 체질화되어 있기 때문에 아이들에게 따로 훈육을 하고 있다는 사실조차 의식하지 못할 때가 많다. 그들에게 있어 옷차림의 완성은 숨쉬기와 다를 바 없다. 앞 문장의 '옷차림'을 아무래도 '스타일'로 바꿔야 할 듯하다. 프랑스인들은 언제 봐도 고급스럽게, 머리부터 발끝까지 흠잡을 데 없이 차리고 다닌다. 물론 나는 패션계의 이단아로서 이를 '유일한 스타일'로 못 박고 싶지는 않다(나는 프랑스에서 트레이닝복보다 더 보기 힘들다는 호피무늬 통굽 구두를 신고 놀이터를 들락거렸던 여자다!).

옷차림이 됐든 스타일이 됐든, 아무튼 프랑스 부모들은 아이가 옷을 골라 입고 나타나면 여과 없이 비판을 던진다. 프랑스인들에게 있어 완벽한 옷차림은 주변 사람들에 대한 배려의 표시다. 프랑스 남부 출신 엄마인 수잔은 손님이 찾아올 때마다 두 아이가 말끔하게 차려입고 머리까지 단정히 빗은 상태로 현관에 서서 맞이하도록 시킨다고 했다. 또한 인사를 나누는 동안 손님의 눈을 똑바로 바라보라고 가르친다. 실제로 수잔네 초대를 받아 가보면 아이들이 파자마 차림으로 소파에 드러누워 비디오게임을 하는 광경 따위는 볼 수 없다. 그렇게 흐트러져 있으면 "손님 맞을 기분이 아니다"라는 인상을 줄 수 있다는 것이다. 프랑스 출신이니 당연하다고 생각하면서도, 한편으로는 "그렇게 피곤하게 살지 마!"라고 해주고 싶었다.

내가 목격한 바에 따르면, 프랑스 부모들 특히 엄마들은 아이가 입은 옷이 맘에 안 들 경우 당장 갈아입으라며 방으로 돌려보낸다. 파리 근교에서 자란 내 친구 피터는 이렇게 털어놓았다. "우리 엄마는 여동생이 열여덟 살 될 때까지 옷을 갈아입으라고 방으로 돌려보냈어. 진짜 싫어하더라고." 그래서 어떻게 되었냐는 내 우문에 피터는 답답하다는 듯 되물었다. "어떻게 되긴 뭘 어떻게 돼? 방으로 가서 갈아입었지. 그럼 어떡해?" 이 부분에 익숙해지려면 시간이 더 걸릴 것 같다.

나에게도 그런 능력이 있었으면 좋겠다. 특히 우나가 아무 옷이나 집히는 대로 마구 걸친 듯한 미치광이 꼴로 나타날 때는 더욱 그렇다. 어떨 때 보면 우나는 무늬 다른 옷 많이 걸치기 대회 출전 준비라도 하는 아이 같다. 하지만 이제 막 싹트기 시작한 아이의 개성을 말려 죽일까 두려워 아무 말도 못한다. 그러면서 머릿속은 복잡하다. '저 하늘거리는 파스텔톤 꽃무늬 셔츠에 감색 트레이닝 바지를 코디한 이유는 개성 표현 때문일까, 아니면 진짜 어울린다고 생각했기 때문일까? 그도 아니면 진짜 생각 없이 대충 입었나?' 답은 중요하지 않다. 특단의 조치가 필요했다. 조치를 취할 사람은 당연히 이번에도 나였다.

한 프랑스 엄마는 자기 친정엄마의 노하우를 전수해줬다. 같이 입으면 이상적인 옷에는 1번, 그럭저럭 괜찮은 옷에는 2번 등 일일이 번호를 매겼다는 것이다. "너 그렇게 입으니까 너무 이상해 보인다. 당장 갈아입어"라고 대놓고 면박을 주는 것보다는 완곡한 방법이지만 애 옷에 일일이 번호를 매기다가는 내가 돌아버릴 것 같았다.

일단 아이들에게 '패션 감각'이라는 개념이 있다는 사실부터 알려주기로 했다. 우리 세 모녀의 패션 수업은 (누가 미국 사람 아니라고 할까봐) 게임 형식으로 진행했고, 제목은 '최신 유행Dans la mode'

이라 붙였다. 아이들은 이내 게임에 빠져들었다. 간혹, 비가 추적추적 내려 집에 콕 박혀 있고 싶은 날에는 서랍에서 옷을 죄다 꺼내놓고 종류별로 쌓은 뒤 침대 위에서 코디를 해보고 토론을 벌였다. 우리 딸들은 클립보드_{집게를 달아 종이를 끼울 수 있게 만든 판}라면 열광을 한다. 그래서 코디를 살펴볼 때 고려해야 할 항목인 색깔, 모양, 전체적인 느낌, 계절감 등을 종이에 표로 그린 다음 클립보드에 끼우고 하나씩 손에 들렸다. 아직 글을 읽을 줄 모르는 대프니는 각 항목 옆에 그림으로 표시해주었다. 수업은 항상 대프니의 즉석 패션쇼로 끝이 난다. 그렇다고 혹시 내가 아이들의 허영심을 부추기는 엄마는 아닌가 의심하진 말기 바란다. 나는 절대 그런 사람이 아니다. 무엇보다 아이들이 싫어하는 옷을 억지로 입으라고 강요하지는 않을 생각이다. 그냥 프랑스 엄마 스타일로 살짝 도움을 줄 뿐이다.

난관은 있다. 아직도 대프니는 언뜻 보면 어울리는 것도 같은데 몸에 걸치면 미치광이처럼 보이는 코디를 절묘하게 완성해내곤 한다.

얼마 전에는 주먹만 한 핑크색 별이 어지럽게 찍혀 있는 감청색 레깅스에 분홍색 티셔츠, 뒤뒤_{Tutu, 레이스 주름이 많은 발레용 치마} 달린 하늘색 민소매 체조복을 레이어드 해서 입고 나왔다. 여기에 끈과 지퍼가 한꺼번에 달린 빨간색 장화를 신어서 패션을 완성했다. 아, 머리띠도 있었다. 순간 나는 반성했다. 생각 좀 하면서 애들 옷을 샀어야 했다…. 대프니의 그 자신감 넘치던 표정을 잊을 수가 없다. 프로레슬러와 다를 바 없는 꼴로 아이를 밖에 내보낼 프랑스 엄마는 아마 지구 상에 없을 것이다. 아무튼 아이는 나름 '매치'를 시키기는 했다.

캘리포니아 출신으로 아이 셋을 프랑스계 유아원에 보내고 있는 벨린다와 아침 식사를 할 기회가 있었는데, 얘기를 듣다 너무 웃겨서 코로 오렌지 주스를 뿜을 뻔했다. 원생의 50%가 프랑스 본토 출신이다 보니 스타일 차이가 확연히 보인다고 했다. 벨린다는 이렇게 말했다.

"일단 시어머니께서는 우리 딸들을 데리고 외출할 엄두를 못 내세요. 이제 막 걷기 시작한 아이들인데 머리 좀 안 빗으면 어떻고, 옷이 좀 추레하면 어때요. 그런데 프랑스 사람인 시어머니한테는 고문인가 봐요. 물론 우리 딸들이 유아원 친구들과 비교해서 유달리 추레하긴 한데, 유아원 자체가 보통 유아원과는 달라요.

어떤 프랑스 엄마는 아예 아동복 브랜드를 하나 만들어서 디자이너로 나섰어요. 아들한테 제대로 된 프랑스 옷을 입히겠다고 말이에요. 디자인이 귀엽긴 한데 좀 어처구니가 없어요. 그 집 애는 정확히 무릎 바로 위까지 오는 반바지에 손바닥만 한 모자를 쓰고 다녀요. 너무 책에 나오는 프랑스 스타일 아니에요? 어떤 아빠는 그런 반바지에, 베네치아 곤돌라 사공이 입을 법한 줄무늬 셔츠, 까만 조끼를 입고 애를 데리러 왔어요. 셔츠 단추는 가슴까지 풀어 헤치고, 목에는 금박 입힌 나무 목걸이를 걸고, 빨간색 버켄스톡 슬리퍼를 신었어요. 나도 모르게 '게이는 아니야, 그냥 프랑스 사람일 뿐이야'라고 중얼거렸지 뭐예요?"

나도 요새 우나 친구 엄마들로부터 옷차림이 많이 세련돼졌다는 칭찬을 듣고 있다. 나는 트레이닝복 신봉자 중 하나였으니 변화가 눈에 띌 수밖에 없을 거다. 우리 집 프랑스혁명의 부산물이라고 신 나게 설명하다가 이렇게 치장할 수 있는 시간 여유가 생긴 이유를 깨닫게 됐다. 아침마다 아이들 수발드느라 이리 뛰고 저리 뛰지 않기 때문이었다. 내 오랜 친구 중 하나는 한 술 더 떠서, 아들에게 아예 다음 날 학교에 입고 갈 옷(주로 체육복)을 입힌 채로 재운다. 빅토르 위고Victor Marie Hugo는 "프랑스혁명으로 인류는 기름 부음을 받았다"고 말했다. 아이를 체육복 차림으로 재워서 아침 시간을 더 벌라는 뜻까지 담고 있는지는 모르겠지만, 어쨌든 옳소!

제5과제는 '삶의 환희Joie de vivre'를 알게 하는 것이다. 프랑스 사람들에게 무엇보다 중요한 가치라 할 수 있다. 너무 잘 알려진 문구라 프랑스어 표현도 낯설지 않다. 내 설문에 응한 프랑스 부모들이 자식들에게 심어주고 싶은 가치로 삶의 환희를 꼽았다는 사실 자체가 감동적이다. 늘 마음속에 담아두고 실천으로 옮겨야 할 가치라고 생각했지만, 실제 프랑스적인 삶과 무슨 상관이 있나 의아하기도 했다.

분명히 상관이 있다.

삶의 환희는 말하자면 다른 여러 가지 가치가 실현되었을 때 보상처럼 따라오는 가치다. 예의 바르고, 응석 부리지 않고, 대화 기술도 뛰어나며, 소소한 것에 감사할 줄 아는 아이들이 없었다면 프랑스는 먹고 잠자고 쇼핑하는 데 돈을 가장 많이 쓰는 나라라는 영광을 차지하지 못했을 것이다(30여 개 선진국으로 구성된 경제협력개발기구인 OECD에서 최근 실시한 조사 결과다). 단, 오해는 금물이다. 프랑스 사람들이 먹고 쇼핑하는 데 헤프다는 의미가 아니라, 시간 여유를 두고 즐길 줄 안다는 뜻이다. 쇼핑 시간이 늘어나면 당연히 신선하고 맛도 뛰어난 식재료를 찾아다닐 여유가 생기고, 그런 재료로 만든 음식을 앞에 두고 '꼬마들의 방해 없이' 몇 시간씩 활발한 대화가 오가게 되는 것이다. 이것이 바로 프랑스 스타일이다. 프랑스인들의 기대수명이 세계 2위라 하니, 모방해서 손해 보진 않을 것 같다.

프랑스 사람들은 대부분 경제적 풍요보다 가족과 함께 보내는 시간, 행복을 더 중시한다. 2010년 조사에 따르면, 프랑스는 직장인 휴가 사용률에서도 1위를 했다고 한다. 프랑스가 선진국 중에서도 휴가 일수가 가장 많다는 사실을 감안하면 더욱 의미 있는 수치다. 프랑스인들 가운데 89%는 정해진 휴가 일수를 모두 채웠다. 미국은 미사용 휴가를 수당으로 지급받으려는 사람이 많아 사용률이 57%에 머물렀다. 니콜라 사르코지Nicolas Sarkozy 전 프랑스 대통령이 근로자 정년을 62세로 상향 조정하자 격렬한 시위가 일어날 만도 했다.

프랑스 꼬마들은 이런 어른들을 보고 배운다. 오래전 사르코지가 학교에 가지 않는 날을 축소하려 한다는 괴소문이 돌자 학생 소요가 일어났다. 정말 삶의 환희를 향유하기 위해 그랬는지, 아니면 학교 가기 싫은 마음이 더 강해서 그랬는지 아직까지 좀 궁금하긴 하다.

소요 사태까지 가지는 않았지만 우리 집에서도 음식 문화와 관련하여 커다란 진전이 이루어졌다. 하루 세끼 식사의 격을 높이기 위한 노력의 일환으로, '토요일 밤의 스펙터클Saturday Night Spectacular', 즉

SNS 제도를 신설했다. 토요일은 신성한 날로 정해놓고, 오후 4시 이후에는 과외든 뭐든 아무런 외부 약속을 잡지 않는다. 부득이하게 약속이 잡히면, 가족 모두 일요일 오후와 저녁을 온전히 SNS에 할애한다.

SNS는 이렇게 진행된다. 주 중에 식구들끼리 머리를 맞대고 전채, 샐러드, 주요리, 디저트 메뉴를 구상한다. 대프니가 디저트를 상시 전담하겠다고 강하게 어필했지만, 원칙대로 돌아가며 매주 다른 코스를 맡기로 했다. 이번 주 전채를 맡은 대프니의 아이디어는 햄으로 돌돌 만 미니 핫도그다. 아무래도 옆에서 많이 거들어줘야 할 것 같다. 각 코스 메뉴가 정해지면 평일 하교 길에 재료를 조금씩 사오기도 하고 토요일에 몰아서 사기도 한다. 시간에 쫓기면 그냥 한끼 번에 요리를 해서 초를 켜고 와인을 따르고(아이들은 주스) 도란도란 이야기를 나누며 한 시간 이상 느긋하게 식사를 한다. 어쩔 수 없이 SNS를 건너뛰어야 했던 주에 우나가 대성통곡하는 모습을 보고 아이들이 얼마나 그 저녁 식사를 고대하는지 깨닫게 됐다. 당근 생강 수프를 만들어주고 싶었단다. 애들이 우리 집 애들 맞나? 한편 수면 시간을 늘리려는 내 집요한 노력은 아직 진행 중이다.

여섯 번째는 '소소한 것에서 아름다움을 찾아낼 줄 아는 능력'이다. 이 역시 삶의 환희와 직결되어 있기도 하지만 동시에 독립적인 가치이기 때문에 세심한 주의를 요한다. 이디스 워튼(우나 말고 진짜 작가)은 프랑스인들을 가리켜 '예술가 종족'이라 했다. 미적 감각

마저 후대에 고스란히 대물림하는 그네들을 겪어보니 이디스 워튼의 말이 십분 이해가 간다. 그리고 고등학교 때 프랑스어 선생님이었던 마담 프리도가 왜 수업 시간에 우리 코앞까지 와서 반지 낀 손을 펼쳐 보이며 이렇게 말했는지 이제야 알겠다.

"이 보석은 다 진품이란다. 나는 절대 모조품을 걸치지 않아. 아름답지?" 아무리 여자아이들만 다니는 가톨릭 학교라 해도, 아니 그러니까 더더욱 그러면 안 되는 것 아닌가? 그때는 마담 프리도가 속물이라 생각하며 쳐다보지도 않았지만 반지는 분명 에메랄드였다. 지금은 좀 미안하다. 그녀는 그냥 프랑스 여자답게, 아직 감각이 여물지 않은 캘리포니아 여학생들에게 고급스런 취향을 심어주려 했을 뿐인데….

그렇지만 프랑스인들이 꼭 보석처럼 호사스럽고 번쩍거리는 물건에서만 아름다움을 느끼지는 않는다. 뭐든 찬찬히 여유 있게 관찰하고, 없던 아름다움을 만들어내기도 한다. 얼마 전에는 엄마를 도와 전채를 차리면서 무려 40분간 고민하는 일곱 살짜리 남자아이를 봤다. 세팅 중간에 아이는 돌을 주우러 공원에 다녀와도 되겠냐고 물었다. 꽃잎 모양으로 깎은 래디시알이 작고 불그스름한 서양 무 옆에 놓아두면 너무 예쁠 것 같다면서. 얘, 일곱 살 맞아? 공원에 다녀오려면 왕복 40분은 족히 걸리기 때문에 아이는 엄마와 함께 돌을 무엇으로 대체할지 궁리했다. 결국 앞마당에서 노란 민들레를 몇 송이 꺾어다 붉은 래디시 사이에 꽂았다.

우나와 대프니는 그저 뭐든지 빨리 해치우는 데 익숙해져 있다.

색칠 연습 책도 페이지마다 대충 손을 대는 둥 마는 둥 해서 10분 만에 뚝딱 끝내버린다. 프랑스 유아원 선생들은 세 살짜리 어린애한테도 '어울리는' 색을 써서 선 바깥으로 튀어 나가지 않게 칠하라고 엄명을 내린다는 무시무시한 이야기를 들은 적이 있다. 내 생각에 프랑스 선생들이 강조하고 싶었던 점은, 튀어 나가면 안 된다는 것이 아니라 찬찬히 제대로 하라는 것이었을 듯하다. 얼굴을 보라색으로 칠해도 좋고 미키마우스 팔다리가 몇 개 더 있어도 상관없다. 아이들이 양과 속도에 집착하지 말고 뭘 하든 시간을 들여 꼼꼼히 하는 버릇을 들였으면 좋겠다. 글씨도 마찬가지다. 예전에는 "무슨 상관이야? 어차피 요즘은 다 컴퓨터를 쓰는데"라며 넘어갔다. 하지만 프랑스화 프로젝트 시작 이후 조급함을 버릴수록 아이들 삶의 질이 훨씬 향상된다는 사실을 깨달으면서 필체 훈련에도 신경을 쓰고 있다. 내가 글씨를 예쁘게 쓰는 사람을 좋아하기도 한다. 그래서 요즘 입에 달고 사는 말이 "천천히, 우나"다.

프랑스 아이들은 글씨 쓰기 연습을 할 때 꼭 만년필을 쓴다. 볼펜을 사용하면 파리가 밟고 지나간 듯 실오라기 비슷한 잉크 흔적이 지저분하게 남기 때문이다. 잉크 흔적이라니, 프랑스에서 있을 수 없는 일이다. 미국에서는 아름다움보다 효율성을 우선시하는 데다, 길 가다 멈춰 서서 장미 내음을 맡는 여유 따위 잊혀진 지 오래다. 우리 딸들한테도 그런 경향이 보인다. 우나에게는 글씨 쓰기 연습을 시키고 대프니에게는 다 쓴 색칠 연습 책을 펼쳐서 다시 칠해보라고 했더니 둘 다 숙제로 여겨지는 듯 귀찮아했다. 속뜻을 알아채길 바랐는데 어쩔 수 없었다. 이렇게 된 이상, 직접 일상 속에서 아름다움을 찾아 나서고 감상하는 시간을 따로 마련해야 했다. 이 수업은 각운을 맞추어 '서블라임 타임Sublime Time, 숭고한 시간'이라 이름 붙였다. 재치 있는 이름을 보고 아이들이 더 큰 관심을 보여주기를 바라는 마음이었다. 유치하다고 비웃어도 좋다. 어쨌든 우리 아이들에게는 통했으니까.

수업 시작은 이렇게 알렸다. "자, 이제 산책을 나갈 텐데, 각자 아름답다고 생각하는 것을 다섯 개까지 짚어내고 왜 아름다운지 얘기해 보기." 초기에는 엄청난 부작용이 있었다. 바로 '대프니의 서블라임 타임 넋두리'다. "재미없어." "집에 가면 안 돼?" "놀이터 가면 안 돼?" 등 레퍼토리도 다양했다. 하지만 여태까지 늘 그랬듯 아이는 적응을 했다. 심지어 몰입하는 지경에 이르렀다. 지난번에 아이들을 데리고 메트로폴리탄미술관에 갔을 때는 너무나 확연한 변화가 눈에 띄어 깜짝 놀랐다. 미술관에 간다고 해서 두 자매가 카라바조Caravaggio, 빛과 그림자의 대비를 잘 표현한 이탈리아 화가 작품 속 음영의 묘미를 느낀다든지, 뭐 그러지는 않는다. 다만 웬만한 그림 앞은 뛰어서 지나치다가 만화처럼 보이는 작품 앞에 잠깐 멈춰선 뒤 이내 물은 언제 마시러 가냐고 묻던 예전과는 달라졌다. 이번에 갔을 때는 플랑드르미술16세기에 플랑드르 지방을 중심으로 발전한 미술에 꽤 많은 시간을 할애했다. 자세히 묻진 말기를. 그냥…. 꽤 많은 시간이었다.

마지막은 '성실한 학습 태도'이다. 이 답변을 접하고서 고민도 많이 하고 조사도 많이 했다. 쉽지 않은 문제다. 미국과 프랑스 문화의 장점만 추출해 섞어서 딱 한군데만 적용할 수 있게 된다면 다름 아닌 교육을 택하겠다. 가정교육이야 가정에서 해결하면 된다지만, 학교 교육의 경우 프랑스, 미국, 영국의 학제가 모두 판이하게 달라서 뭘 바꿔보고 싶어도 내 힘으로는 불가능하다. 그렇다고 배울 점을 안 배우고 넘어갈 순 없다.

프랑스의 교육 방식이 내 눈에는 참 매력적이면서도 약간 무시무시하다. 이해가 쉽지 않다. 그래서 뭐든 프랑스 방식이 적용되면 질문이 샘솟는다. 대프니의 유치원에서 열린 정기 학부모 면담에 참석했을 때 나는 내내 벌린 입을 다물지 못했다. 대프니가 예의 바르고 적극적이며 말도 잘 듣는 아이라고 선생님이 칭찬을 늘어놓은 것이다. 설마…. 폭주하는 기관차 대프니가 수업 시간에는 얌전히 책상 앞에 앉아 있는다니, 우리 부부는 둘 다 어안이 벙벙해져서 면담 시간 10분 중 적어도 1분은 입을 떼지도 못했다. 머릿속에서는 '이것이 바로 프랑스 스타일'이라 쾌재를 불렀다.

조신하고 순종적인 새로운 대프니는 프랑스 스타일의 산물이었다. 다만 교사 면담 자체는 별로 프랑스적이지 않았다. 프랑스에서는 학부모와 교사 면담이 적어도 한 시간 빈은 이어지고 칵테일까지 준비된다고 들었다. 늘 피로에 시달리는 미국과 영국의 선생님들에게도 프랑스 스타일이 도움 되지 않을까? 들이는 공에 비해 보람은 적은 직업이라는 회의감을 좀 완화시켜줄 수 있을 텐데. 반은 농담이지만 반은 진담이다. 프랑스 본토의 중학교를 둘러보다 점심시간이 되어 교사 식당에 들어갔더니 테이블마다 와인이 몇 병씩 올라가 있었다. 아무 날도 아닌, 아주 평범한 목요일이었는데 말이다. 여기에 그 날의 메뉴를 보고 당장 그 학교 선생님으로 취직하고 싶다는 열망에 사로잡혔다.

예전에 열두 살짜리 파리 소녀와 유럽 수도 이름 대기 게임을 해서 진 뒤로 프랑스의 학교교육에 대해 면밀히 알아봐야겠다고 마음먹었던 참이었다. 변명을 하자면, 일단 그 소녀는 유럽에 살고 있다는 어드밴티지가 있고, 내가 고등학교에서 지리를 배운 이래 없어지거나 새로 생긴 도시가 너무 많다. 혹시 몰도바의 수도 이름을 아는지? 키시너우란다, 젠장!

사실 내가 시간이 아무리 많았어도 그 아이한테는 이길 수 없었을 것이다. 프랑스 공교육을 받고 자란 내 친구 폴에 따르면, 프랑스에서 나쁜 학교에 다니고 싶으면 돈 주고 다니면 된단다. 다시 말해, 프랑스 공립학교 수준이 전반적으로 탁월하다는 뜻이다. 프랑스 교육부가 고용자 수에 있어 세계 5위를 달린다고 하니 그럴 만도 하다. 프랑스 교육 분야는 중앙정부에서 책임지고 있고, 체계도 매우 잘 잡혀 있다. 사립학교를 다니지 않는 한 프랑스 어느 지역에 살든 동일한 교과과정을 밟는다. 학생들에게 있어 학교는 놀이나 게임 장소가 아니라 오로지 학업을 연마하는 곳이다. 미국 공교육 제도를 내가 어쩌지는 못하겠지만, 학교를 학업 연마의 장으로 진지하게 받아들이는 태도는 접목해볼 만하다.

우나가 처음 유치원에 들어갔을 때 나는 아이를 숙제더미로 짓눌러 학습 의욕을 완전히 없애버리라는 지시가 교육청에서 따로 내려온 줄 알았다. 어마어마한 숙제의 바다에서 허우적대는 아이를 보며 고민을 거듭한 끝에 우리 부부는 사립 유치원을 알아보기 시작했다. 그러다 브루클린에서 멀지 않은 곳에 위치한 발도르프 학교를 찾아냈으나 로또에 당첨되지 않는 이상 우리가 감당할 수 있는 학비가 아니었다. 결국 유치원을 옮기는 대신 숙제를 무시하기로 했다. 돌이켜 보니, 날마다 다른 집 아이들과 놀이 약속 혹은 무용 교습 등이 잡혀 있었기 때문에 숙제할 시간이 모자랄 수밖에 없었다. 결국 우나는 쿨한 미국 엄마 덕분에 숙제에서 면제됐다. 똑같은 상황이 프랑스 유치원에서 발생했으면 어땠을까? 나를 자학하는 차원에서 가끔 상상해본다.

칵테일까지 등장하는 호사스러운 정기 교사 면담 시간을 제외하면 프랑스 부모들은 학교나 유치원 교실에 거의 발을 들이지 않는다. 교사를 만나고 싶으면 학교 비서를 통해 미리 예약을 해야 하는데, 그 예약 절차가 길기도 하거니와 합당한 이유를 대지 못하면 아예 약속을 잡을 수 없기 때문이다. 프랑스에서는 아이가 학교나 유치원에 가 있는 시간에는 아이의 신변이 온전히 교사와 교육기관의 소관이라고 생각한다. 프랑스 엄마들은 미국 엄마들처럼 교실에 있는 햄스터 우리 청소나 동화 구연 자원봉사를 하겠다며 선생님에게 이메일 공세를 펼치지도 않는다. 물론 단순 비교는 무리다. 미국의 경우 예산이 지속적으로 깎이고 있기 때문에 부모들의 비중이 점점 커질 수밖에 없다. 그래도 프랑스인들이 학교를 바라보는 관점은 분명 주목할 만한 가치가 있다. 그중 몇 가지를 추려봤는데, 특히 아이들의 생활에서 학교가 최우선 순위에 있다는 점이 마음에 든다.

프랑스 부모들은 아이가 하교하면 그때부터 비로소 개입을 시작한다. 일단 집에 오면 숙제를 마쳐야 하는데 결코 만만치 않은 양이다. 여기에 더해 학생들은 등수가 매겨지고 날마다 1등부터 꼴등순으로 성적이 공개된다. 내 아이 이름이 맨 마지막에 불리고, 바람직하지 않은 사례로 입에 오르내리기를 바라는 부모는 없다. 그래서 프랑스 부모들은 아이가 하교하면 매일 복습을 시킨다. 아이의 학업 연마가 가장 중요하다고 여기는 프랑스식 가정교육 덕에 아이들은 포기하거나 낙오하지 않는다.

내가 프랑스식 교육에 완전히 빠져버렸음을 인정한다. 프랑스에서는 학교 수업이 수요일을 뺀 나흘 동안 이루어진다. 수업 시간은 대략 오전 8시 30분부터 오후 4시 30분까지다. 학교마다 15분가량 차이가 날 수도 있다. 수요일 수업이 없는 대신 나머지 날 그만큼 더 공부한다. 아, 물론 프랑스인들이 그런 의도로 주 4일 수업을 시작하지는 않았을 것이다.

너무 마음에 드는 제도다. 미국에도 도입할 수 있으면 얼마나 좋을까? 프랑스 아이들은 저녁이 다 되어 집에 오는 데다 날마다 숙제가 쌓여 있어서 별다른 계획을 세우려야 세울 수도 없다. 프랑스 중동부 디종에 사는 한 프랑스 엄마에게 아이의 일과를 설명해달라고 하니 "우리 아이는 학교 끝나면 집에 와서 숙제하고 저녁을 먹고는 그다음에 자요"라고 했다. 아들 뤼크는 여덟 살이란다. 반면 우리 딸들은 학교가 끝나는 2시 50분부터 본격적인 하루가 시작된다고 생각한다. 방과 후 차로 데리러 가면 일단 "우리 오늘 뭐해?"라는 질문부터 던진다. 딸아, 숙제하고, 저녁 먹고, 일찍 자면 어떨까…?

요즘 우나는 숙제 정도는 거뜬히 마무리한다. 그러나 내가 이렇게 심지가 굳어지기 전까지는 종종 미룰 수 있는 한 미뤘다가 다음 날 아침 먹으면서, 혹은 학교 가는 차 안에서 하곤 했다. 우리 딸에게 이런 말을 해주고 싶다. "애석하지만, 우리 딸, 이제는 학교 끝나면 일단 숙제부터 해야 해." 주 중 텔레비전 시청을 금지하니 숙제 문제까지 매끄럽게 해결됐다. 엄마와 아이의 우선순위가 충돌하면? 아이의 우선순위를 무시하면 된다.

다시 프랑스 학제에 관한 이야기로 돌아가 보자. 프랑스 교사들은 노력이 가상하다거나 많이 나아지고 있다 혹은 완벽하다는 식의 칭찬에 인색하다. 모든 과제는 20점 만점으로 평가한다. 그러나 만점을 받는 경우는 거의 없다. 한 프랑스 엄마는 교사가 20점 만점을 주면 안 된다고 법으로 정해놓은 줄 알았다는 말도 했다. 미국 교사들이 웬만하면 찍어주는 '웃는 얼굴' 도장과 '참 잘했어요' 도장에 익숙한 나로서는 너무 야박하게 들린다. 다만 학교가 재미를 찾자고 다니는 곳이 아니라는 생각을 심어준다는 점에서는 바람직한 것 같다. 물론 공부가 재미있을 수도 있고, 그렇게 된다면 더 바랄 것이 없겠지만, 공부를 학업이라 부르는 데는 이유가 있지 않을까?

프랑스로 이주한 미국인 가족을 인터뷰해보면 최대 고민이 항상 아이 학교 문제였다. 양질의 교육을 못 받을까 걱정한다기보다는 제도가 너무 엄격해서 과연 적응을 잘할까에 대해 염려한다. 일리가 있

다. 프랑스 교사나 부모들은 아이가 혹 학습 장애나 행동 장애는 아
닌지 끝없이 주시하며 노심초사하지 않는다. 두 아이의 아빠인 안톤
은 이렇게 말한다.

"어느 날 딸이 집에 오더니 거리 청소부가 되겠다고 해서 한참을
웃었어요. 아마 선생님이 공부를 열심히 안 하면 청소부나 해야 한다
고 했나봐요. 내가 어렸을 때 우리 선생님도 똑같이 위협을 했거든
요. 여섯 살짜리한테는 청소부가 굉장히 구미 당기는 직종이라는 사
실을 선생님만 모르나봐요."

귀여운 이야기다. 뭐, 그 정도면…. 그러나 프랑스인이 아닌 다
른 문화권 사람들은 순간 가슴이 철렁했을 수도 있다. 유치원생에
게 그런 위협을 가해도 되나…? 며칠 뒤 안톤이 이렇게 덧붙였다. "여
기서는 미국처럼 혹시 아이가 ADHD 아닌가, 학습 장애는 아닌가
눈에 불을 켜고 살피지 않아요. 그냥 '더 잘하지 않으면 바칼로레아
Baccalaureat 통과 못 한다' 혹은 '너 길거리 청소나 하며 살래?'라고만 하
죠." 바칼로레아는 프랑스 학생들이 통과해야 하는 최대 관문이다.
고등교육을 마치면 봐야 하는 시험으로, 바칼로레아 점수에 따라 대
학 진학 여부가 결정된다. 즉, 이 시험으로 인생의 항로가 정해진다.
뭐, 부담을 주려는 뜻은 아니다.

이쯤에서 정리를 해보자. 내가 꿈꾸는 완벽한 '프랑스-미국' 하이
브리드 세상에서는 아이가 학업을 매우 진지하게 받아들이고, 학교
수업도 효율적으로 이루어지고, 학부모와 교사 면담 시간에 칵테일

도 나온다. 동시에 아이들이 지나친 압박이나 굴욕에 시달리지 않고, 장애가 있어서 특별한 관심이 필요한 아이들이 그냥 방치되지도 않는다.

프랑스인들이 대화의 기술을 중요시하기는 하지만, 교실에서는 예외다. 교실은 말하기를 연습하는 장소가 아니다. 말은 선생님 몫이고 아이들은 질문에 답할 때를 제외하면 듣기만 해야 한다. 프랑스와 미국을 오가며 생활하는 친구들에 따르면, 질문하고 반박하라고 학생들을 독려하는 미국 특유의 학교 문화가 프랑스에는 없다고 한다. 아이들을 프랑스 학교에 보내고 있는 한 미국 엄마는 "프랑스 학교는 개인의 사고, 팀워크, 자존감 형성에 별로 중점을 두지 않는다"고 했다. 학교에서 교사는 전지전능한 존재다. 중고등학교를 방문해보니 선생님들이 교단에 올라가 수업을 진행하고 있었다. 학생들보다 높은 곳에 서서 문자 그대로 학생들을 내려다보며 이야기한다.

엄격하고 냉정해 보일 수도 있지만, 사제지간에 그런 거리를 좀 두면 장점이 많다. 프랑스 학생들은 선생님을 존경해야 한다. 적어도 면전에서는. 프랑스 선생님들은 성과에 따라 평가받지 않는다. 학생들만 그렇다. 학생이 성적이 낮아서 다음 단계로 올라가지 못하면 학생 탓이지 선생님이 잘못 가르쳤기 때문이라고 여기지 않는다. 청소부나 하라는 말도 뒤따른다.

프랑스 정부는 바칼로레아 성적이 나쁜 학생들에게 기술학교 진학의 기회를 준다. 너무 이른 시기에 진로가 결정 나버린다는 점만 제외하면 이론적으로는 훌륭한 제도다. 미국의 시인 로버트 프로스트Robert Frost가 "대학은 성급한 결정을 막아주는 도피처"라고 했다는데, 당시 프랑스 대학은 포함시키지 않았음이 분명하다.

배움에 있어서 프랑스인들은 성마르다. 진도를 빨리 따라가지 못하면 악명 높은 프랑스식 굴욕을 당하게 된다. 한 미국 친구의 열 살짜리 아이가 파리의 학교에서 겪은 시련을 전해 듣고 가슴이 아팠다.

"프랑스 학교에서는 수업을 잘 따라가지 못하는 학생을 '나쁜 사례'로 최대한 활용해. 우리 아이도 당했어. 아이가 칠판 앞에서 문제를 풀다 쩔쩔매니까 선생님이 사납게 '빨리, 빨리, 빨리!'라고 재촉하더래. 그래도 못하니까 다른 아이들을 향해 어깨를 으쓱하면서 눈알을 굴리더라는 거야. 반 전체가 아이를 비웃고. 창피해서 죽는 줄 알았대. 그나마 학교 시작 전에 딸들에게 경고를 해뒀으니 망정이지. '배려와 격려'의 나날은 지났다고 경고했거든."

그러나 그런 굴욕 기반 훈육은 프랑스에서나 통한다. 이렇게 말해주고 싶다. "어이, 선생! 살살 좀 하지!'

시작한 김에 프랑스와 미국 학교 교과과정을 비교해봤다. 표면적으로는 크게 다르지 않다. 다만 프랑스에서는 한 가지 이상의 외국어를 훨씬 일찍부터 가르친다는 정도의 차이가 있다. 어느 프랑스 유치원 과정을 보니 예절과 사회규범을 가르치는 '공민학과 도덕' 수업이 포함되어 있기도 했다. 크게 놀랍지는 않다. 근본적인 차이는 태도에 있다. 미국 아이들에게도 아직 기회가 있다.

인터뷰에 참여했던 프랑스 부모들의 답변은 일견 너무 건전하고 타당해서 이런 답변을 들으러 굳이 프랑스까지 올 필요가 있었나 의아해지기도 했다. 반대로 생각하면 그만큼 미국인들은 건전하고 타당한 길에서 멀리 이탈했다는 뜻이 된다.

예를 들어 새 학기가 시작되는 날이면 아이가 없는 친구들로부터 불평이 터져 나온다. 페이스북에 아이들 등교 사진이 계속 올라오기 때문이다. 나는 즉시 프랑스에서는 어떻게 하는지 알아보기 시작했다. 프랑스 부모들은 아이가 내뱉는 되지도 않는 소리를 일일이 SNS에 올려 공개하지 않는다. 이유는 여러 가지 있겠으나, 우선 프랑스인들은 사생활을 매우 중시하기 때문에 가족과 관련한 내용을 바깥에 잘 공개하지 않는다. 그리고 결정적으로 프랑스인들은 아이의 일거수일투족에 그렇게 목매달지 않는다.

냉정한 평가를 내려야겠다고 마음먹은 뒤 내 페이스북에 접속해봤는데, 우리 아이들이 입버릇처럼 하는 말이 맞았다. 나는 프랑스인이 아니다. 우리 식구는 프랑스인이 아니다. 페이스북뿐만 아니라 우리 집 벽은 온통 아이들 사진으로 도배되어 있다. 남편은 나만큼 심각한 정도는 아니지만, 그래도 프랑스 아빠와는 거리가 멀다. 우나와 대프니가 너무 기발하고 웃기는 말을 했다며 계속 트위터에 올리는 것만 봐도 알 수 있다. 어쩔 수가 없다. 남편이 어쩌기를 바라지도 않는다. 남편이 완벽하게 프랑스화됐다면 우리 아이들의 주옥같은 명언을 트위터에서 확인할 수 없었을 테니 말이다.

● 남편이 트위터에 올린 명언

우나 : 아빠, 나 접시에 묻은 시럽 핥아 먹어도 돼?

나 : 그래.

우나 : (접시를 싹싹 핥고 나서) 다 먹었다. 머리에 시럽도 거의 안 묻
    혔어!

———

대프니 : 못된 애 되기 싫어. 안 못되게 굴게…. 크리스마스까지만.

———

나 : (옆을 지나가는 학생들을 보고) 빨리 커서 중학생 되고 싶지 않
    니?

우나 : 퍽도 그렇겠다.

———

대프니 : 양치질을 왜 해?

나 : (미치기 직전) 누구나 양치질을 하니까!

대프니 : 로봇은 안 해.

나 : 그건 그렇네.

———

광고에 홀랑 넘어간 우나 : 내 머릿결 100% 더 찰랑거리지?

———

마누라 : (대프니 침대에서 자다가 우나 침대로 옮겨 가서) 엄마 오늘
    은 여기서 좀 잘게.

우나 : 그래. 나 이제 그렇게 몸부림 많이 안 쳐.

——

우나의 변 : 싸우지 않았어. 의견 차이가 좀 있었을 뿐이야.

——

대프니 : (나를 향해) 엄마 방귀 꼈어. 꼭 저리 가라고 말하는 거 같았
　　　　어.

——

대프니 : 나 방해 진짜 잘하지?

——

나 : (내 시리얼에 대프니가 휴지를 담근 뒤) 아빠 시리얼 만지지 마.

대프니 : 안 만졌어.

다시 말하지만, 우리가 좀 더 프랑스화됐다면 아이들 입에서 저런 말이 아예 나오지도 않았을 것이다. 어쨌든 아이들은 저런 말을 했고 나는 프랑스인이 아니다. 그저 프랑스 육아법에서 유용한 부분을 추출하려 최선을 다하고 있을 뿐이며, 그 과정에서 미국의 좋은 점, 특히 유머와 강단을 재발견하고 있는 중이다. 영화 〈로열 테넌바움The Royal Tenenbaums〉의 대사를 인용하자면, 이 땅은 '모래와 불과 배짱'으로 풍성하다.

어쩌다 우리는 프랑스인들과 이토록 달라지게 됐을까? 이런 차이가 미묘한 갈등의 요인임은 아무도 부인하지 못할 것이다. 미국인과 프랑스인의 관계는 애증으로 점철되어 있다. 놀이터에서 남자아

이와 여자 아이가 티격태격하며 서로 밉다고 소리치면서도 하루 종일 붙어서 같이 노는 것과 비슷하다.

나는 그 이유를 찾기 위해 언론인 장베누아 나도Jean-Benoit Nadeau 와 쥘리 발로Julie Barlow의 책《프랑스인 6,000만 명이 틀렸을 리는 없다-왜 우리는 프랑스를 좋아하면서 프랑스인은 싫어하나Sixty Million Frenchmen Can't Be Wrong : Why We Love France but Not the French》를 꺼내 들었다. 나도와 발로는 프랑스인을 프랑스인답게 해주는 특성이 무엇인지 찾아내기 위해 프랑스에서 2년을 살았다. 두 저자는 책의 첫머리에서 우리가 그들을 우리 기준에 따라 평가하기 때문에 갈등이 빚어진다고 말한다.

"프랑스 사회는 우리와 전혀 다른 방식으로 돌아간다. 우리와는 밧줄, 기어, 스프링 등 부속품 자체가 다른 듯하다. 영국 및 미국 사람들은 일본인, 중국인, 인도인 들이 자신들과 다르고 그런 차이점이 모여 독특한 국민성과 독특한 생활양식을 만들어낸다는 사실은 자연스럽게 받아들인다. 그런데 왜 프랑스인들이 다르다는 사실은 받아들이지 못할까?

올바른 육아법을 습득하겠다는 일념 하나로 프랑스인을 관찰한 내게도 나도와 발로의 시각이 큰 도움이 됐다. 미국인과 프랑스인은 애초부터 아주 다른 관점에서 출발한 아주 다른 문화를 형성하고 있다. 어느 쪽이 더 낫다고 평가할 수는 없다. 그러나 가정의 평화가 눈앞에 보이는데 프랑스 스타일 몇 가지 차용하지 않을 이유도 없다.

내 머릿속 프랑스인에 대한 고정관념 1위는 잘난 척이었다. 나에게 '프랑스인'과 '잘난척쟁이'는 바게트와 누텔라^{빵에 발라 먹는 초콜릿 스}^{프레드 브랜드}만큼 밀접했다. 그들을 좀 더 깊이 알게 된 지금은 '잘난 척하다' 대신 '특이하다'란 표현이 더 적합하다고 느낀다. 역사적 맥락에서 봐도 말이 된다. 개척자의 후예인 미국 사람들은 새로운 시도를 하는 데 있어 거리낌이 없는 반면 프랑스인은 수세기 동안 갖가지 전통이 변함없이 이어진 나라에서 그 전통을 다시 대물림하며 살고 있다. 나도와 발로는 이렇게 말한다.

"프랑스인들의 조상은 빙하기까지 거슬러 올라간다. 북아메리카인들처럼 원시적 문화가 존재하는 땅에 상륙하여 기존 문화를 고스란히 지우고 처음부터 다시 시작한 사람들이 아니다. 그냥 처음부터 거기 존재했다. 프랑스 역사는 그야말로 파란만장하지만 과거와 단절됐던 적은 한 번도 없다. 프랑스만의 특이한 문화를 접할 때 우리는 그들이 고유한 스타일을 지키며 사는 고대 민족임을 잊어서는 안 된다."

아이가 어른 말에 순종하도록 길들이는 문화에 관한 한 나는 귀와 마음을 활짝 열고 들을 준비가 되어 있다.

배경 파이도 중요하다. 예를 들어 돈에 대한 프랑스인의 접근법은 우리와 판이하게 다르다. 프랑스에 갈 때마다 오래된 건물에 달려 있는 크고 아름다운 덧창문은 무척 인상적이라고 느꼈다. 낭만적이긴 한데 왜 굳이 그렇게 거대하게 만드는지 궁금했다. 그런데 프랑스의 옛 조세제도에 대한 나도와 발로의 설명을 접하고서야 그 아름다운 덧창문이 단지 해를 가리거나 나 같은 관광객을 놀라게 하려고 만들어지지는 않았음을 알았다. 수백 년 전에는 '겉으로 보이는' 재산을 근거로 세금이 부과됐다고 한다.

세금 징수인이 고용한 세금 첩자들은 창문으로 실내를 들여다보며 징수액을 가늠했다. 덧창문은 어떻게든 첩자들의 시야를 가로막기 위해 만든 것이었다. 그런 세금 징수인들은 프랑스혁명을 거치며 단두대의 이슬로 사라졌지만 프랑스인들의 심리에 지워지지 않는 흔적을 남겼다. 이를 통해 프랑스인의 돈에 대한 생각을 엿볼 수 있다. 지금도 프랑스인들은 돈이 많거나 적거나 남에게 알리고 싶어 하지 않는다. 우리보다 훨씬 사생활을 중시하는 프랑스인들의 경향도 이와 연관이 있을 것이다.

나는 파리에서 점심 모임을 갖던 중 혹독한 경험을 통해 이런 문화적 차이를 배웠다. 파리에 있는 친구가 나를 위해 직장 동료 몇을 모아 마련해준 자리였다. 음식은 물론 훌륭했고 대화도 아주 흥미로워서 시간 가는 줄 몰랐다. 감사의 표시로 점심을 사려 했는데, 계산서가 나오기 전에 다른 인터뷰를 위해 다급히 자리에서 일어서야 했다. 어쩔 수 없이 나는 미국식으로 내 몫만 테이블에 꺼내놓고 친구에게 대신 계산해달라고 부탁했다. 큰 실수였다. 분위기가 싸늘해지면서 침묵이 흘렀다.

다행히 영어를 못 알아듣는 이들이 많아서 친구는 내게 최대한 볼륨을 낮추어 지령을 내릴 수 있었다. "당장 돈 치워. 여기서 돈은 금기야. 그러면 안 돼." 어떻게 해야 국제 얼간이가 될 수 있는지 궁금하다면, 나처럼 하면 된다. 내가 떠난 뒤 남은 사람들은 뭔가 대단히 조심스러우면서 교양 있는 방법으로 점심값을 나눠 냈을 듯한데, 그 방법이 뭔지 아직 알아내지 못했다.

프랑스어라면 무작정 방어부터 하고 보는 경향도 '잘난 척한다'는 비판을 부르는 요인이다. 나 역시 프랑스 식당에서 '물L'eau' 달라는 말을 백만 번쯤 되풀이해야 했던 적이 한두 번이 아니다. 대대수 관광객들은 프랑스 웨이터들이 일부러 못 알아듣는 척해서 사람을 우습게(그리고 목마르게) 만든다고 괘씸해한다. 그러나 프랑스인들이 정확한 발음을 고집하는 이유는 분명히 있다. 프랑스인들은 프랑스어를 격하게 아낀다. 프랑스어 보존 및 프랑스어 사전 개정을 담당하는 학술 기관인 아카데미프랑세즈는 1635년 처음 설립됐다. 아카데미프랑세즈의 권위와 힘은 상상을 초월한다. 일례로 한 미국 기업의 프랑스 지사에 벌금 65만 달러를 부과하기도 했다. 직원용 소프트웨어가 영어로만 되어 있고 프랑스어 버전은 없다는 이유였다. 그냥 형식적으로 존재하는 기관이 아니다.

프랑스인들이 깜찍한 아이 옷에 집착하는 데도 역사적 배경이 다 있다. 역사 속 남자아이 옷을 소개하는 웹사이트를 둘러보던 중 '가르송 모넬Garçons modèles'이란 문구를 발견했다. 행실이 나무랄 데 없고 차림새도 나무랄 데 없는 소년을 뜻하는 표현이다. 프랑스인들은 이런 표현도 만들어 쓰면서 '육아'에 해당하는 단어는 없다. 시사하는 바가 많지 않은가?

어쨌든 웹사이트에 따르면 제2차 세계대전의 여파로 프랑스 아이들의 복식 문화가 큰 변화를 겪었다고 한다. 전쟁 전까지는 시대를 막론하고 옷차림과 관련하여 매우 높은 기준이 적용되었다. 아이 옷은 당대 유행하던 어른 옷을 크기만 줄여 같은 모양으로 만들었다. 그런데 전쟁 통에 남자들이 많이 전사하면서 여자들이 의사 결정권자로 떠올랐고 일종의 아동을 위한 개혁 운동도 시작됐다. 멋진 변화가 일어났다.

아동 노동이 금지됐고, 교육, 인성부터 옷차림까지 다양한 측면에서 아이들이 아이다운 대접을 받게 됐다. 아홉 살 된 딸을 둔 프랑스 친구가 아이 옷을 물려주면 얼마나 신이 나는지 모른다. 프랑스아이 옷은 너무 사랑스럽고, 예쁘고, 기발하다. 미국 전역을 휩쓸고 있는 '프티 바토Petit bateau 열풍'을 보면 나만 그렇게 생각하진 않는 것같다(프티 바토는 아이의 옷부터 어른 옷까지 다양한 옷을 만들어 파는 120년 전통의 프랑스 의류 브랜드이다-옮긴이). 우리 남편도 영화 〈잃어버린 아이들의 도시The City of Lost Children〉를 본 뒤 놋쇠 단추가 달린 회색 스웨터를 미친 듯이 찾아 헤맸다. 몇 달 동안 빈티지숍이며 중고 가게까지 샅샅이 뒤지고 다녔다. 남편은 좀 특이한 케이스인지도 모르겠다.

물론 우리 가족에게 적용하기 꺼려지는 부분도 분명 있다. 뉴욕에 사는 프랑스 친구 중 하나는 프랑스의 부모님께서 오실 때마다 하나부터 열까지 다 못마땅해하시는 통에 고역이라고 털어놨다. 프랑스 사람들은 본토에서도 남을 헐뜯기는 하지만, 보통 비난의 대상이 사정거리 밖으로 나갈 때까지 기다렸다가 포문을 연다. 그러던 사람들이 미국에만 오면 아무도 프랑스어를 못 알아듣는다고 생각하는지 마음껏, 큰소리로, 아무 죄도 없는 행인들에게 비난을 퍼붓는다.

안타깝게도 그 정도는 알아듣는 사람이 많다. 참 불편하고 불쾌한 노릇이다. 그래서 나는 우리 아이들에게 프랑스 아이들의 긍정적인 측면, 즉 사회규범을 철저히 준수하고, 공손하고, 유순한 측면만을 부각시키려 한다.

이제 성에 대한 이야기를 해보자. 대프니가 세 살쯤 됐을 때 아이의 '스포티' 시기가 찾아왔다. 내 친구가 해외여행을 갔다가 사다준 아일랜드 축구팀 유니폼을 일주일에 나흘은 입겠다고 우겨댔다. 우리나도 비슷한 시기를 거쳤고, 작년 여름에는 남자아이용 수영 팬츠를 사 입겠다고 졸라서 골치를 썩었다. 아무리 사춘기가 한참 남은 여자아이라고 해도 상의를 입히지 않은 채 수영장에 보낼 만큼 관습에서 자유로운 엄마는 못 된다. 하지만 이렇게 정체성이 형성되는 시기에 아이가 자의식을 키우고 개성을 발현할 수 있는 분위기를 조성해주었다는 점에 대해서는 스스로를 칭찬하고 싶다. 간혹 아이를 위해 모든 가능성을 열어놓는 데 너무 치중한 나머지 아이들이 있는 자리에서는 섹슈얼리티를 절대 드러내지 않는 부모들이 있다. 프랑스 부모들은 아이가 있든 없든 서로 자유롭게 섹슈얼리티를 표현한다. 한 번은 어떤 프랑스 아빠가 아내를 흐뭇하게 바라보며 "Cette femme a un corps absolument magnifique이 여자 몸매 성말 끝내주네"라고 말하는 것을 들었다. 바로 앞에 여섯 살짜리 딸이 있다는 사실을 거의 의식하지 않는 듯했다.

미국이었다면 한창 감수성 예민한 어린아이에게 정서적 악영향을 끼쳤다며 "아이 앞에서 뭐하는 짓이에요!"라고 공격을 당했을 것이다. 그러나 나는 이런 솔직한 애정 표현이 낫다고 생각한다. 안타깝게도 다수의 프랑스 아빠들이 자기 아내가 아닌 여자를 향해 무차별적으로 그런 표현을 남발한다는 조사 결과가 있었다. 물론 이것은 절대 내가 추구하는 바가 아니다.

프랑스는 오랜 페미니즘 전통을 자랑하는 나라지만, 그렇다고 여성성을 경시하지 않는다. 우리 아이들이 나중에 어떤 스타일의 수영복을 선택하게 되든, 페미니즘과 여성성이 상호 배타적이지 않다는 사실을 꼭 알려주고 싶다. 그래야 혼란도 줄일 수 있을 테니까.

덧붙이자면, 시시때때로 나누는 프렌치 키스는 우리 부부의 활력소가 된다. 옛말 그르지 않다. 엄마가 행복하면 아이도 행복하다.

아이를 키우는 엄마라면 〈슈퍼 내니 Super Nanny〉에 대해 들어본 적이 있을 것이다(〈슈퍼 내니〉는 영국에서 만들어진 리얼리티 방송 프로그램으로, 전문 보모가 아이를 제대로 다루지 못하는 가정을 방문해서 육아 노하우를 전수한다. 그 전문 보모는 매회 유니폼처럼 똑같은 투피스를 입고 등장한다-옮긴이). 그런데 프랑스에도 〈슈퍼 내니〉가 있다는 말을 들었다. 고개가 갸우뚱하지 않을 수 없었다. 제멋대로인 아이를 통제하지 못해 쩔쩔매는 부모들을 돕는 영웅 '슈퍼 내니'가 프랑스에 왜 필요할까? 이후 프랑스 아이라 해서 다 천사는 아니라는 사실을 알게 됐고, 어느 나라에서 어떤 언어로 방송하든 히트를 기록하는 이 텔레비전 프로그램의 가치를 재발견하게 됐다. 슈퍼내니는 현재 스웨덴부터

이스라엘, 브라질에 이르기까지 전 세계에서 제작, 방영되고 있다. 심지어 '타이거 마더(논쟁을 불러일으킨 예일 대학교 교수 에이미 추아의 교육법을 설명한 책 제목이다. 엄격하면서도 사랑을 쏟는 방식으로 아이를 조련하여 엘리트로 만들었다는 추아의 경험담을 담고 있다-옮긴이)'의 본원 중국에서도 〈슈퍼 내니〉가 시작됐다.

물론 나는 프랑스의 국민 보모 캐시 사라이Cathy Sarrai에 시선 고정이다. 2010년 유명을 달리할 때까지 예의 그 투피스 차림으로 부모들 위에 군림하며 '내 안의 사령관을 깨우는 법'을 설파하던 인물이다. 캐시는 떠났지만 내 새로운 애장 도서가 된 저서《슈퍼 내니 : 캐시의 조언Super Nanny : Tous les bons conseils de Cathy》은 남았다. 이 책 끄트머리에는 퀴즈가 마련되어 있어 자기 상태를 진단할 수도 있다. 문항 수가 좀 많아서 여기에는 그중 일부만 소개한다. 프랑스 스타일로 분류되고 싶다면 마이너스(-) 표시가 된 문항에 절대 '예'라고 대답하지 말 것. 문항 4부터 9까지는 미국 스타일과의 절충이 어느 정도 필요한 사안이라고 본다. 그럼 시작해볼까?

● 슈퍼 내니와 함께하는 자가 진단

1. 아이기 중간에 안방으로 오지 않고 자기 침대에서 숙면을 취하는가? **+**

2. 아이가 먹을 밥과 어른이 먹을 밥을 따로 만드는가? **−**

3. 차려놓은 밥을 먹기 싫다고 하면 다른 음식을 내주는가? **−**

4. 아이가 엄마 아빠를 또래 친구처럼 대하는가? **−**

5. 아이가 패악을 부릴 때 냉정을 유지할 수 있는가? +

6. 아이와의 협상을 단칼에 자르는 기술을 터득했는가? +

7. 집 안에서 아이가 다칠까봐 전전긍긍하는가? −

8. 아이 방에 텔레비전이나 컴퓨터를 놓아줬는가? −

9. 학교에서 문제가 발생했을 경우 아이 편을 드는가? −

10. 아이가 무궁무진한 기쁨의 원천인가? ++++

Chapter 8

달라진
우리 아이들

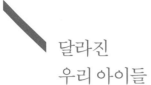

달라진
우리 아이들

　내가 우나보다 한두 살 더 많았을 때던가. 그때 다니고 있던 가톨릭 학교 재정 모금을 위해 녹음이 우거진 캘리포니아 북부 우리 동네에서 '세계 최고의 초콜릿'이란 브랜드를 붙여 초콜릿을 팔러 다닌 적이 있었다. 물론 그 초콜릿은 세계 최고와 거리가 멀었다. 나는 그저 상을 타고 싶었을 뿐이고, 초콜릿을 판 수익금은 모두 학교로 돌아갔다. 최소한 3등상인 코커스패니얼 강아지 인형은 타야겠다고 마음먹고 있었다.

　그때 한 중년 여성이 모퉁이를 돌아 우리 옆집으로 다가왔다. 초콜릿을 사라고 판촉을 펼치자 재미있다는 듯 듣기는 했지만 결국 내 초콜릿은 살 수가 없다고 했다. 건너편에 사는 친구 부부의 아이들이 나와 같은 학교를 다니기 때문에 분명히 초콜릿을 사달라고 올 텐데, 이미 딴 아이한테 샀다고 하면 크게 실망할 것이라나? 나는 속으로 '흥, 그 게으러터진 애들. 지금쯤 입에 시리얼을 쏟아부으면서 비디오게임이나 하고 있겠지. 하지만 난 이 초콜릿을 팔 거야! 그 강아지 인형을 탈 거야!'라고 결의를 다졌다.

그러나 겉으로는 그런 결의가 드러나지 않도록 조심했고, 심지어 예쁘게 미소까지 지었던 모양이다. 다음 날 내가 학교에 가 있는 동안 그 아주머니가 우리 집으로 와서 엄마에게 정말 예의 바르고 공손한 딸을 두었다고 칭찬하며 1달러를 놓고 갔다. 결국 내가 타지 못한 강아지 인형을 사기에는 한참 모자라는 액수였지만 정말 특별한 경험이었다. 엄마 아빠가 어찌나 의기양양해하시던지…. 나는 낯선 사람이 우리를 칭찬할 때마다 자랑스러워 어쩔 줄 모르는 부모님이 좀 못마땅했다. '엄마 아빠가 뭘 했다고?'라고 생각했다. 얼마나 오만방자했는지. 예의가 뭔지도 모르는 아이들을 소신한 모범 시민으로 다듬어내기 위해 고군분투했을 엄마 아빠의 고충을 이제는 안다. 아이를 낳고 키워보니 알 수 있다.

얼마 전 우나와 대프니가 친구네서 하룻밤을 자고 왔는데 그 집 부모가 칭찬을 늘어놓았다. "우나와 대프니가 저녁 식사 때 자리에서 일어나도 괜찮은지 묻더라고요. 아무 때나 시간이 되시면 언제든지 다시 데리고 오세요. 우리 집 아이들도 좀 보고 배우세요. 게다가 우나는 쌀밥을 줬더니 못 먹겠다면서 죄송하다고 하더군요. 어쩜 그렇게 예의가 바른가요? 우리 아이들한테 전염 좀 시켰으면 좋겠어요." 자부심이 풍선처럼 부풀어 올랐다. 그러다 우나를 쳐다보니 눈동자를 이리저리 굴리고 있다. 그 순간 예전에 우리 부모님 기분이 어땠을지 가늠이 되면서 우나의 심정도 이해가 됐다. 한 프랑스 친구가, 미국인들은 아이가 아무리 제멋대로 굴더라도 계속 칭찬만 한다고 지적한 적이 있었다. 그러면서 프랑스에서 예의는 당연한 의무라 거의 아니 결코 칭찬해주지 않는다고 했다.

결국 프랑스식 육아법과 미국식 육아법 사이 적절한 균형 유지가 관건이다. 우리 부부는 제멋대로였던 아이들의 태도를 교정하는 데 성공했고 아이들을 비롯한 온 식구의 나쁜 생활 습관 몇 가지도 뜯어고쳤다. 하지만 때로는 욕심이 지나쳐서 주관을 잃은 채 진짜 프랑스 엄마가 빙의라도 한 듯 너무 으르딱딱거리지 않았나 염려가 되기도 한다. 얼마 전에 대프니와 뮤지컬 영화 〈메리 포핀스Mary Poppins〉를 시청하던 중, 내가 주인공인 보모 메리 포핀스의 어떤 면이 프랑스 스타일에 위배되는지 조목조목 짚고 있다는 사실을 깨달았다. 메리 포핀스의 혁신적인 육아 방식보다 아버지인 조지 뱅크스의 권위적인 방식에 한 표를 던지고 있었던 것이다. 메리 포핀스도 마음 놓고 보지 못할 지경이 되면 자기 성찰이 필요하다는 뜻이다.

프랑스식 육아법이 능사는 아니란 사실을 명심해야 한다. 나는 여러 가지 부작용이 일어났던 사례를 머릿속에 담아두고 나침반으로 사용한다. 로스앤젤레스에 머물던 중 우나가 별안간 한 프랑스 아빠를 가르치려 들었던 때가 대표적이다.

프랑스 부모가 생각할 수 있는 최악의 악몽은, 주변 사람들이 아이 칭찬을 늘어놓고 있는데 갑자기 아이가 행실 따위 나 몰라라 이성을 잃는 경우다. 세 살배기 딸 셀린을 둔 노르망디 출신 부부 크리스티앙과 아네트를 만났을 때 악몽이 현실로 나타났다. 한 친구의 집 옥상 수영장에서 초저녁에 모이기로 했는데, 아네트의 퇴근이 늦어지는 바람에 저녁 8시가 다 되어서야 파티가 시작됐다. 믿을 수 없을 정도로 유순하던 셀린이 우리 아이들이 첨벙거리고 있던 수영장 쪽으로 다가갔다. 엄마인 내가 봐도 우리 딸들은 제2의 마이클 펠프스가 될 가능성이 전무했다. 하지만 아이들은 나름 실력을 뽐내고 있었고 주변 어른들은 연신 환호를 보냈다. 대프니는 양팔에 튜브를 끼고 혼자 물에 뛰어드는 놀라운 기술을 구사하고 있었다. "엄마, 나 좀 봐!" "봤어? 다시 해볼게!" "엄마, 계속 보고 있어! 진짜 신기한 거 보여줄게." "나 이렇게 하고 있을 때 사진 찍어줘." "아빠! 애런 아저씨! 나 좀 봐!"

구경하던 어른들이 떠들썩하게 칭찬을 늘어놓는 가운데 셀린이 아무 말없이 튜브도 끼지 않고 물 한가운데로 슬며시 미끄러져 들어갔다. 크리스티앙과 아네트는 와인을 들고 어른 무리에 섞였고, 아이는 혼자 수영장 끝에서 끝까지 헤엄을 쳤다. 나는 감탄을 금치 못하며 대단하다는 칭찬을 연발했다. 셀린은 약간 어리둥절한 표정으로 나를 쳐다보고는 수줍게 미소를 지었다. 전형적인 프랑스 스타일이다. 셀린은 한 시간 남짓 우리 아이들 주변을 빙빙 돌며 수영을 하다가 지쳤는지 밖으로 나와 아빠 품으로 파고들었다.

우리 아이들도 따라 나와서 어른들과 합류했다. 나는 아네트와 수다를 떠느라 정확히 무슨 일이 어떻게 벌어졌는지 보지 못했는데,

아무튼 셸린이 울음을 터뜨리고 말았다. 아무리 달래고 얼러도 도무지 울음을 멈추지 않았다. 아이가 다쳤나 싶었으나 아이 아버지는 멀쩡하다고 주변 사람들을 안심시켰다. 결국 아네트가 아이를 데리고 집 안으로 들어갔다. 그러자 크리스티앙이 우나를 쳐다보며 물었다. "왜 저럴까? 아저씨가 뭘 잘못했니?" 왜 하필 일곱 살배기에게 자문을 구했는지 지금도 궁금하다. 한데 우연찮게도 제대로 된 상대를 고르기는 했다. 우나는 즉각 요약 및 정리에 들어갔다. "몇 가지 이유 때문에 셸린이 지쳤던 것 같아요. 먼저, 아직 너무 어린데 시간이 늦었잖아요. 피곤할 거예요. 그리고 저녁을 먹었는지도 모르겠네요. 배가 고파서 울었을 수도 있어요. 무엇보다 아저씨가 무안하게 만들어서 많이 속상했던 것 같더라고요. 그래서 눈물이 난 거예요. 저는 알겠던데요. 저 같아도 정말 속상했을 거예요."

우나에게 한 방 먹은 불쌍한 남자. 하지만 분명 그쪽에서 먼저 질문했다.

나로서는 이 꼬마 정신과 의사를 보며 자랑스러워해야 할지 한탄을 해야 할지 종잡을 수가 없었다. 물론 공손하게 얘기하기는 했지만 처음 만난 어른에게 자식을 그렇게 다뤄서는 안 된다고 일장 연설을 늘어놓지 않았는가. 프랑스 스타일과는 거리가 멀었지만, 다시 한 번 강조하건대 그 아빠가 우나의 의견을 먼저 물었다. 우나의 거침없는 상황 해석에 나는 솟구치는 자부심을 억누를 수가 없었다. 심지어 망신을 당한 크리스티앙조차 감탄한 듯했다.

이 책을 쓰는 동안 책에 등장하는 사람들과 이런 식의 미묘한 역학 관계를 거칠 수밖에 없었다. 내가 인터뷰하거나 관찰한 이들 대부분이 자식을 달고 다니는 부모였다. 누군가가 내 아이들을 지켜보면서 나와 내 아이들의 소통 방식을 샅샅이 뜯어보고 있는데 이를 의식하지 않기란 불가능하다. 크리스티앙이나 아네트 같은 프랑스 엄마 아빠들은 중압감을 느꼈고, 미국 엄마 아빠들은 경계 태세를 갖췄다. 그래도 별 탈 없이 책을 마무리하게 되어 다행이다. 관찰 대상이 되어준 엄마 아빠들이 여기에 동의해주기를 바랄 뿐이다.

물론 실험 도중 서로 상처를 주고받는 경우도 생겼다. 한번은 대프니에게 말을 듣지 않으면 엄마 머릿속 '프랑스화 계측기'를 가동해서 제일 친한 친구와의 놀이 약속을 취소해버리겠다고 통보했다. 대프니는 경고 따위 아랑곳하지 않았고, 결국 그 친구의 엄마에게 이메일을 보내 약속을 취소해버렸다. 프랑스 엄마 아빠들은 대수롭지 않게 넘어갔겠지만, 여기는 브루클린이라 약간 신경질적인 답장이 날아왔다. 자기 아이는 그 놀이 약속을 학수고대하고 있었는데, 왜 대프니의 잘못 때문에 자기 아이까지 덩달아 벌을 받아야 하는지 모르겠다는 내용이었다. 그러면서 "더 적합한 방도"를 찾았어야 했다고 쏘아붙였다. 내 참, 어이가 없어서. 어쨌거나 그 이후 그런 식의 위협은 가하지 않게 됐다. 그때는 초기였고 요즘은 강도 높은 제재를 가할 필요가 거의 없어졌다. 이번 크리스마스에 대프니가 산타클로스에게 보낸 편지를 보면 아이의 변화가 눈에 보인다.

산타 할아버지께

미국에 있는 아이들 모두 잘못을 반성하고 있지만 그중에서도 제가
제일 많이 반성하고 있어요. 선물을 주신다면 아메리칸걸 인형 줄리
가 데리고 다니는 애완 토끼 버니가 갖고 싶어요.

대프니 올림

정말 아직도 그냥 미국 애다. 나는 그런 대프니를 사랑한다. 우
나도 마찬가지다. 아무리 잔소리를 해도 우나의 글씨체는 나아질 것
같지 않지만 계속 시도해볼 생각이다. 사람이 감각을 하나 상실하면
나머지 네 감각이 더 예민해진다는 원칙이 우나에게도 적용되는 것
같다. 파이어 아일랜드에 갔을 때 아이 둘이 선착장 근처에서 직접
만든 우정 실팔찌를 팔고 있었다. 우나도 용돈 벌 기회를 웬만하면
놓치지 않지만 실을 엮어 팔찌를 만드는 데는 아무런 관심도 요령도
없다. 결국 아이는 한나절을 궁리하더니 '조개껍데기 시'라는 독창적
인 상품을 고안해냈다. 고객이 1달러 75센트를 내고 주제어를 제시
하면 그 주제어로 짧은 시를 지은 뒤 아빠에게 부탁해 조개껍데기 안
에 매직펜으로 써주겠다고 했다. 참고로, 남편 글씨체는 우나 버금간
다. 나머지 한나절 동안은 해변에서 조개껍데기를 줍고 간판을 만들
어서 다음 날 아침 첫 배가 들어오자 선착장에 나가 팔았다. 고객 유
인책으로 귀여운 꼬마 여동생도 옆에 데려다 놓았다. 가격 책정도 영
리했다. 손님들 모두 2달러짜리를 내고 거스름돈은 필요 없다고 했
으니 말이다. 우나는 한 시간 만에 18달러를 벌었다.

달라진 우리 아이들

우리 가족이 굶어 죽지는 않을 것 같다. 사업 감각은 타고났으니 프랑스화를 조금만 더 거치고 나면 꽤 성공할지도 모르겠다. 우리 부부는 한 일 년 정도 파리에 살아보려고 계획 중이다. 삶의 환희, 손으로 쓴 글씨, 크루아상! 나는 마음의 준비가 됐다. 얼마 전에 아이들 없이 저녁 외식을 하던 중 옆 테이블에 있던 젊은 부부와 대화를 나누게 됐다. 자연스럽게 우나와 대프니가 대화의 주제로 떠올랐다. 그 부부가 "이런 말해도 될지 모르겠는데 애 엄마처럼 보이지 않으세요" 라고 말했을 때 나는 행복에 겨워 웃다가 테이블을 넘어뜨릴 뻔했다. 그래, 나는 프랑스 스타일!

아이들을 등한시한 적도 없고 죄책감을 느끼지도 않는다. 솔직히 말해 이 책을 쓰면서 프랑스 엄마들도 미국 엄마들과 비슷한 죄책감을 느낀다는 사실을 눈치챘다. 로즈라는 어린 딸을 키우는 30대 초반 엄마 카미유와 얘기를 나누던 중 전업주부가 되고 싶었던 적이 없냐고 물었다. "때론 그랬으면 하는 생각도 하지만 절대 일을 그만두지는 않을 거예요. 적어도 우리 친정엄마가 살아 계시는 동안은 말이에요. 나는 엄마를 볼 때마다 죄책감이 들 테고, 엄마는 내가 못마땅하실 테니까요. 우리 어머니 세대는 딸 세대가 일터에서 남자들과 동등하게 일할 수 있는 세상을 만들려고 고생을 마다하지 않았잖아요. 엄마를 실망시킬 수는 없죠."

아이 때 지나치게 예의가 바른 프랑스인들이 그 부작용 때문에 나이가 들면 괴팍해진다고 주장하는 사람들도 있다. 나는 단연코 "헛소리!"라 생각한다. 물론 프랑스 부모들은 훨씬 엄격하지만 그러면서도 아이들과 매우 친밀한 관계를 유지한다. 프랑스 부모들은 아이가 어렸을 때 행실을 다잡는 데 공을 많이 들이고, 이후부터는 좀 느긋해진다. 아이들이 언제나 흠잡을 데 없이 행동하기 때문이 아니라 일정한 나이가 되면 어차피 훈육이 먹혀들지 않는다고 생각하기 때문이다. 미국 부모들은 아이가 10대 청소년기에 들어서면 어떻게든 휘어잡으려고 안간힘을 쓰는데, 프랑스 부모들은 더 큰 자유를 부여한다. 그래서 가족 간 갈등이 훨씬 덜하다고 들었다.

세상에는 그야말로 셀 수 없이 많은 육아법이 널려 있고, 효과적인 방법도 한두 가지가 아닐 것이다. 나는 우리 가족의 발목을 잡고 있었던 잘못된 관행과 습관에서 벗어나 보고자 프랑스로 갔다. 그 결과 스카프를 좀 많이 두르고 다니게 되었고(하하!), 집안의 질서를 유지하면서 우리만의 개성을 잃지 않는 하이브리드 접근법을 깨우쳤다. 빅토르 위고와 에스카르고의 나라에서 취하는 방식을 그대로 모방할 도리도, 필요도 없다. 예를 들면 나는 달팽이 요리가 싫다. 버터와 마늘을 아무리 쏟아부어도 소용없다.

올해 추수감사절에 우리 부부는 예년처럼 집에서 음식을 일일이 준비할 엄두가 나지 않아 보통 미국인답게 외식을 하기로 했다. 2시간 반가량 이어진 그날의 외식은 프랑스화 프로젝트 발족 1년 만에 일궈낸 쾌거였다. 무려 2시간 반 동안 우나와 대프니는 엄마 아빠와 함께 프랑스 식당에 얌전히 앉아서 식사를 했다. 심지어 다른 테이블에 앉아 있던 아이들이 몸을 비비 꼬고 식당 안을 뛰어다니고 야단법석을 피우자 혀를 차기까지 했다. 그렇다고 우리 아이들이 전혀 손이

가지 않았다는 말은 아니다. 우나와는 퀴즈를 풀었다. 그리고 대프니는 내가 핸드백에 넣어온 숫자 적힌 스티커 조각들로 종이 성을 짓느라 바빴다. 그렇지만 서로 이야기도 많이 나눴고, 특히 두 자매는 종업원들로부터 어쩜 이렇게 예의가 바르냐는 칭찬도 들었다. 정말 여유롭고 호사스러운 식사였다. '봉 아페티Bon appétit' 그 자체였다고나 할까?

저녁 식사 후에는 브루클린행 F 열차를 타러가는 길에 코리아타운을 둘러보았다. 그러다 한 대형 상점에 들어가 진열대마다 가득한 책이며 CD, DVD, 립스틱, 관광 기념품, 도자기로 만든 공주와 엘프 인형을 구경했다. 곧장 마하 3의 속도로 '나 이거 살래!' 공습이 시작되리라 예측했으나 공습은 없었다. 우나는 엘프 인형을 사 줄 수 있는지 그 가능성을 딱 한 번 타진했다. 그러나 50달러에 육박하는 가격표를 함께 확인한 뒤에는 더 이상 말을 꺼내지 않았다. 한 푼도 허투루 쓰지 않는 근성을 타고나 그런 것 같다. 대프니는 조용히 진열된 물건을 구경만 했다. 딱 한 번만 더 말하고 그만하겠다. 대프니가. 조용히. 구경만 했다.

"대프니, 우리 아가, 여기까지 오느라 수고했다!"